世界のニュースを日本人は何も知らない4

谷本真由美

ワニブックス
PLUS新書

はじめに

『世界のニュースを日本人は何も知らない』はシリーズ四作目となりました。

自分の趣味である海外のさまざまな〝おもしろトピック〟やニュースの観察を本にまとめてみようという気軽な動機で始めた本作ですが、シリーズ一作目から三作目が予想以上のご好評で今回四作目を出させていただくという流れとなりました。

かつて私は国連の職員として日本、イギリス、アメリカ、イタリアなど世界各国での勤務経験がありました。現在はロンドンに住居を構えていますが、それ以前にバックパッカーだった私はいろんな国々を渡り歩いてきました。それらの体験をも含めワールドワイドなニュースをキャッチするアンテナの感度が優れていると自負しています。

日本は先進国なのでさまざまなメディアがあり、他の国に比べるとずいぶんとたくさんの書店もあるので情報は豊富なはずの国です。

ところが情報のアウトレット（出口）はいろいろあるはずなのに、そこを流れる情報は年々質が低くなっており、密度も薄くなってきています。情報を得るほうの消費者の興味が薄らいでいるのか、それとも提供するほうに何か問題があるのか――。

これに関して私はよくわかっていません。おもしろい情報に触れたいという人は大勢いるし、海外に興味がある人もたくさんいるのです。その方々が求めるものがテレビや雑誌、書籍からはなかなか提供されない。インターネットのニュースサイトや調査サイトもフェイクニュースが少なくありません。もしかしたら提供するほうの人が、品質の良いものを求めている人がいることに気がついていないのかもしれません。

そういった方々が求める海外の情報の必要性がより明らかになったのが二〇二二年二月に始まったロシアによるウクライナ侵攻ではないでしょうか。現地で生活しているウクライナの人々もまったく予想していなかった大事件が起きてしまったのです。

二一世紀にこんなことが起きるとは誰も予想していなかったことでしょう。

そして驚くべきことに、これまでメディアではＡＩとか再生可能エネルギー、さらにはロボットのことを大騒ぎしていたのに、私たちがいま動画サイトやネットのニュースサイトで毎日のように目にしているのはまるで一九世紀のような古典的な戦場です。自動運転もＡＩもまったく関係はありませんし、生死を左右する状況ではまるで役に立つものではないようなのです。

この現実に直面していまだに対応できていない人は多いのではないでしょうか。私たちが予想していた二一世紀は、泥沼の中で殴り合いをするような状況ではないはずだからです。私たちがいかに〝超楽観的〟な予測と期待に囲まれて暮らしていたか実感し、谷底に突き落とされたような気分になっている方も少なくないかと思われます。

この戦争が日本人に突きつけたことは、異なる土地の人々はわれわれとはまったく違う思考をするということです。

これまで日本人は平和主義を叫んでいれば大丈夫で、世界は安定していると考えていました。話し合いや交渉や譲り合いでなんとかなると思い込んでいたのです。どこの国の方々も日本人のように毎日コンビニエンスストアに通い、どこのレストランで食事をするか考えることが重要という生活を求めると思い込んでいました。

ところが世界の現実は違いました。理論も適正な取引もなんにも通じない人々が地球上にいるのです。これまで私はこの〝世界のニュース〟シリーズで、海外には日本人の考え方やロジックがまったく通用せず、突然ナタで襲ってくるような人や国もあるのだということを書いてきました。

ところが、このシリーズを出版してから、私は各方面より「お前はウソつきだ、そんなひどい人たちがいるわけがない」ということを繰り返し〝口撃〟されてきました。動画を共有しても、それをまったく活用しない人が多いのです。

とはいえウクライナに対する非道なやり方を目にして、私が何度も強調してきたことはウソではないことをやっとわかった方がいるのではないでしょうか。

私がこの本のシリーズで紹介するのはミクロな内容が多いのですが、それがたくさん積み重なって国レベルになれば戦争になるのです。

現在世界は大きく動いており、次に何が起こるかわからないような状況です。本書を読むことで、世界には日本とは大きく異なる国・地域が多く、まったく違う考え方や哲学を持つ人たちがいるのだということを少しでも知って、みなさまの人生のお役に立てていただければ幸いです。

目次

第2章　世界の「真実」を日本人は何も知らない……55

第3章 世界の「表と裏」を日本人は何も知らない……79

第4章 世界の「日本愛」を日本人は何も知らない……95

第5章 日本人は「ロシア」のことを何も知らない……123

第8章 日本人は「イギリス王室の真実」を何も知らない

第1章　世界の「最新ニュース」を日本人は何も知らない

実は海外で評価されまくっていた安倍元首相

二〇二二年七月八日、大変衝撃的なニュースが飛び込んできました。

安倍元首相の暗殺です。あの平和な日本でこんな事件が起きるとは……。あまりのショックに数日間食事が喉を通らなかったほどです。

海外ではこの事件はどのように報じられており、特にイギリスをはじめヨーロッパではどのような反応があったかお伝えします。

イギリスでは連日トップニュースで伝えられていました。「安倍氏は暗殺され警備上の不備があった」とはっきり述べられていたんです。英語で暗殺のことはアサシネーションというのですが、これは「政治的意図があって有名人や政治家を殺害する」という意味があります。

つまりイギリスや他の英語圏の報道では単なる殺人事件ではなく、なんらかの背景があることを最初から意図していたわけです。これは他の国では元首相であっても、安倍さんが重要な政治家であることを意識しているということです。

このニュースは日本という国で起こったことでも大変なショックを与えました。イギリスなどヨーロッパでは日本の治安の良さがよく知られており、銃規制も非常に厳しい国であることがさかんに伝えられているからです。ウクライナ侵攻で心を痛めている人が多いなかで、このような事件が日本で起きてしまったことに衝撃を受けているイギリス人はたいへん多いです。

二点目に注目すべき点は、日本のマスコミでは報道されていませんが、イギリスだけではなくアメリカやヨーロッパ大陸では、安倍元首相は日本における戦後の最も偉大なリーダーであり優秀な政治家である、と高い評価が下されていたことです。

特に「自由で開かれたインド太平洋戦略」を実現するため、安全保障体制の構築で中心的な役割を果たした点が絶賛されています。これは中国の軍事的台頭が欧米でも大きな懸念点になっていて、東アジアが軍事的に最も不安定な地域だからです。

日本の人は実感していませんが、日本の周囲は軍事的にも政治的にも世界で最も不安定な地域です。ロシアや中国、北朝鮮だけではなくインドやラオス、ミャンマー、ベトナム、マレーシア、インドネシアといった〝難しい国〟がずらりと揃っている。先進国だらけのヨーロッパに比べたら政治的な舵取りがずっと難しいのです。

日本のメディアは安倍元首相が軍国主義者の超保守であるような印象を与える報道ばかりしてきました。ところが欧米の国々の視点からすると、安倍元首相は「リベラルな政治家」であり世界の秩序の安定を願った素晴らしい政治家なのです。

日本のメディアに触れていると意外ですが、経済政策に関して批判もありましたが軍国主義者とか排外主義者という見方はほとんどありません。これは他の国では安倍元首相をイメージで見るのでなく、実際に決定した事柄や政策で判断しているからです。

このような見解を証明するのが世界各国から届いた「お悔やみメッセージ」です。最も驚かされたのが、先ごろ亡くなられたエリザベス女王が直々に天皇陛下に対してお悔やみのメッセージを迅速に送ったことです。これは元首相に対するお悔やみとしては異例の対応であり、安倍元首相は他国の王族に匹敵する立場だったのです。

エリザベス女王は遠回しに自分の外交的な意図や好みを示すことで知られていますが、中国の習近平国家主席がイギリスに国賓として訪れた際に手袋をしたまま握手をしたり、トイレの前に座らされたりした対応と比べると格段の差です。エリザベス女王は日本という国をたいへん重要視しており、尊敬しているだけではないのです。

通常政治家というのはヨーロッパの階級の序列からすると、あくまで王族よりはるかに格下で公僕にすぎません。王族は有権者から選ばれた人々であっても単なる使用人とみなしているのです。

したがってお悔やみの対応も、王族や皇族に対するものと政治家に対するものでは異なっています。ところが今回の安倍元首相への対応は、他の国の王族へのそれに匹敵するものでした。つまりエリザベス女王は安倍元首相を個人としてたいへん尊敬し、世界各国の王族や皇族に匹敵する品格と上品さがある素晴らしい人物と認めていたのです。

日本の一部メディアが報道するような超保守主義の軍国主義者であったら、女王さまはこんなお悔やみのメッセージを送ってこないでしょう。ドイツとの戦争を体験した女王さまはファシズムや独裁国や軍国主義者は大嫌いだが愛国者は尊敬するのです。

この意味をよく理解していない日本人があまりにも多すぎるのは実に残念ですね。

この件に関して、安倍さんの外交政策が歴代の総理大臣をはるかにしのぐ優秀なものであったことがよくわかります。

世界各国から届く安倍元首相へのお悔やみメッセージ

イギリス王室は日本の京都を五〇〇倍ぐらい恐ろしくしたところです。二一世紀の現代でも遠回しに、そして宮廷式にメッセージを伝えます。そこには日本の平安時代の貴族に通じるものがあり、どこの国も宮廷文化は直接的な物言いを嫌い、遠回しに意図を伝えるのです。

宮廷においては不躾な振る舞いをする人間、教養がない人間、序列を理解していない人間、そして優美さがない人間は徹底的に嫌われてしまいます。イギリス王室と揉めているメーガン妃はこの典型で、アメリカ人で三流の女優といえたメーガン妃には宮廷のしきたりや序列というものが十分に理解できていないのです。

日本人であれば、そこは空気を読んでなんとなくわかることも、植民地であったアメリカで育った人間にはなかなかわからないのでしょう。そのような文化があるなかで安倍さんはエリザベス女王に相当気に入られていたというわけです。

「安倍さん、あなたは私たちの仲間ですよ。王室と貴族の世界を理解していて、教養があり、あなたはとても優美でした。そのような方が亡くなってしまって私はとても悲しく思います」

このようなメッセージをエリザベス女王のお悔やみは伝えていたのでした。

外交というのは、ただ単に政治的な駆け引きをすればよいというものではありません。そこには世界各国の政治家だけではなく、王族や貴族とのおつきあい、要人とのおつきあいも入ってきます。まさに人様とのおつきあいが欠かせない。意外と好き嫌いの多いエリザベス女王に気にいられるのは相当なことなのです。

さらにエリザベス女王だけではなくローマ教皇、ロシアのプーチン大統領、アメリカのトランプ元大統領、アフガニスタンのタリバン暫定政権の外務省報道官、といった人々からも心のこもったお悔やみが届いています。

プーチン大統領からのメッセージは単なる外交儀礼というより詩のようで個人的な友人に対する感情のこもったものでした。現在ウクライナを攻撃し非難を浴びているプーチン大統領が、友人の安倍さんには繊細なメッセージを送るのです。

なんという二面性かと驚かされますが、ロシア人とのつきあいが長い私は、いかにもロシア人らしいと感じました。彼らはひどく残虐な側面がある一方、繊細で感性に優れ、詩的で情があるのです。さらに安倍さんには、日本国として特に友好な対応をしてこなかったタリバンからも温かいお悔やみが届いています。これは異例のことです。

そしてトランプ元大統領は安倍元首相を「本当の友人」と思っていたようですね。

トランプ元大統領は「外交的」な振る舞いをする人間とは最もかけ離れた人物で、人の好き嫌いも多いです。彼はお金があるので他人に媚びを売る必要もない。また日本でビジネスをやっているわけではないので日本に義理もありません。そのようなトランプ元大統領が安倍さんを「真の友」と呼ぶのは重要な意味があります。

このように、おつきあいがかなり難しそうな要人とも個人的な関係を築いていた安倍さんというのは凄い人であると言うほかありません。個人的な魅力がなければタリバンやプーチン大統領から信頼されることはないでしょう。

おそらく彼らとは短時間に関係を築き、おもしろい話をしたり、気遣いが上手だったりしたのだろうなあと思います。それだけではなくアフリカ各国からも気の利いたメッセージが届き、さらにインドとブラジルはなんと国をあげて喪に服してくれたのです。

こんなことは他の元首相ではありえません。

韓国も日本ではその反日報道が目立ちますが、実際の韓国はそんなことはなく一般の方々が献花に訪れてくれたり、アーティストが安倍さんの肖像画を一生懸命描いてくれたりしています。韓国の人々も日本が大好きな人は多いし、とても情が深いのです。

中国でもこの事件のことを気にかける方が本当に多く、私も中国の友人からお悔やみのメッセージを見せていただきました。実は、安倍さんは韓国や中国では一般の人にはとても人気があり、長身でハンサムなため特に女性ファンが多かったそうです。

これも日本にはあまり伝わらない意外なことでした。日本のマスコミはこれらのことをもっと報道してもよさそうなものです。

こうした現象について左翼系の人々には「日本がお金を配ってきたからに過ぎない」と言う人もいますが、海外からお悔やみのメッセージを送ってきた中には、日本がそれほどお金を出していない機関や国だって含まれています。アメリカの雑誌『TIME』は左寄りで保守政治家が大嫌いなのですが、それでも表紙に安倍さんの顔写真を載せ、お悔やみのメッセージを掲載していました。

このように左右の隔たりなく、国の規模も地域も関係なく、ここまで愛される政治家というのは日本ではあまり例をみないのではないかと思われます。

ＳＤＧsが通用するのは日本だけだった！

日本ではここ数年ＳＤＧｓが大流行です。

ＳＤＧｓとは「持続可能な開発目標」（Sustainable Development Goals）のことです。二〇〇一年に策定されたミレニアム開発目標（ＭＤＧｓ）の後に、二〇一五年九月の国連サミットで「持続可能な開発のための２０３０アジェンダ」に記載された目標であり、加盟国の全会一致で採択されました。二〇三〇年までに持続可能でよりよい世界をめざすというものです。

一七のゴールと一六九のターゲットから構成され、地球上の「誰ひとり取り残さない（leave no one behind）」ことを誓っています。日本の外務省によれば「ＳＤＧｓは発展途上国のみならず、先進国自身が取り組むユニバーサル（普遍的）なものであり、日本としても積極的に取り組んでいる」となっています。

日本ではこのＳＤＧｓなるものが企業の取り組みとして重要なアピールポイントになっていて、Ｗｅｂサイトで「わが社はゴールの達成に頑張っています！」と書きまくった動画を公開、また企業として大々的なキャンペーンを展開しています。

ＳＤＧｓは「環境に良い活動」を中心に掲げていますが、その目標には平等な社会の達成や性差の是正なども含まれているので、こういう取り組みがなされるのです。太陽光パネルも設置し制服も変えて、祈りのスペースも用意してと、やること満載です。

一方で某電機メーカーでは「わが社は環境に優しい企業をめざしているので、カップ麺の汁はトイレなどに流さないでください。汁は全部飲むように！」ということを社員に強制していたりしています。

みなさんが大好きな（?）「紙ストロー」もＳＤＧｓの一環です。あれを採用すると「わが社はＳＤＧｓをやっています！」というアピールポイントになり、年次報告書にも得意満面で記載することができます。でもドリンクの入れ物はプラスチック製で、巨体の部長がどっかりと座っている社員食堂やオフィスの椅子もプラスチックなんです。

日本で大人気のＳＤＧｓですが、国連のような偉い機関が提唱しているので日本人は全世界の国々がこれに沿って生真面目にリサイクルや太陽光パネル発電、さらには幼い子どもにも一生懸命、地球環境に関して教育をしていると思われるかもしれません。

ところが他の先進国ではＳＤＧｓがまったく知られていないのです。試しに「ＳＤＧｓ」をキーワードに「Google」で検索してみてください。出てくるのは国連関係組織のＷｅｂサイトやマイナーな非営利団体のサイト、大半は日本のＷｅｂサイトです。「Google」検索でニュースセクションに飛んでも海外大手メディアではまったく出てきません。

Ｗｅｂ上でＳＤＧｓの動画を探しても国連の宣伝になるようなものばかり。これまた他の国の一般の人々がＳＤＧｓについて語っているとか、イケてる「TikTok」の有名人が「時間制限いっぱいの一〇分間で環境保護の動画やってみました！」みたいなのがほとんど出てこないのです。

若者に流行っている斬新なネタだと「TikTok」にかなり登場してくるはずなんですよ。それから「Roblox」でもネタにもなっていない。あのゲームは旬なネタを取り入れるのが早いですからね。ネットでもコラ画像が出回りまくりますよね。

ようするにどういうことかというと、国連と日本以外ではまったくといっていいほどSDGsはキー検索されていないワードなんです。そして決定的なのは日本のサラリーマンや役人が胸に付けている大きな謎のSDGsバッジです。あれを付けている人が多いのでヨーロッパの人々はこう言います。

「日本は何か謎のカルトに入っている人が多いの？」

「それとも、あのカラフルな丸いバッジは国による強制なの？」

「いや、神道の決まりじゃない？」

「アニメのキャラが付けてるから流行ってんの？」

そんな感じで真剣に聞いてくるのです。

あのバッジはヨーロッパでもアメリカでも売っている場所がないし、あんなマークを知っている人がいないんです。やたらと日本人だけが胸に付けているので、なにか日本の特殊な習慣か祈祷《きとう》なんじゃないかと思われても仕方ないでしょう。日本には謎の習慣が多いですからね。

多国籍な町内会の国連がSDGsを普及できるか

では他の国ではSDGsに該当することはやってないのかというと、まぁ一応どの国も役所や上場企業は以下のようなアピールをしているんですよ。

「われわれはこんな環境に良いことをやっています！」

「再生可能エネルギーだけを使っています！」

「人種差別とたたかっています！」

「性差別を解消しています！」

「紙ストローを使っています！」

投資家とかクレーマーの消費者に向けて訴えているのですが、ただそれに対して何かフレームワークがあるとか決まりがあるというわけではないのです。「こんな感じだといいいんじゃね？　株主総会で映《ば》えんじゃね？」というノリでやっていて、担当はCSRの部署とか差別解消なんとかの部署で、ようするにコスト部門が対応しプロフィット部門ではないところがやっていて、あくまでも広報目的なんです。

こういうことを熱心にやっている会社ほど実際は幹部のほとんどが特定人種だとか、紙ストローを使っている社員のほとんどが車通勤で、幹部は超でかいランドローバーに乗っていたりプライベートジェットでバンバン飛びまくっていたりするんです。

では、なぜ日本だけこんなことになっているかというと、実は深〜い背景があります。

日本人はなぜか国連が大好きです。ところが、この〝世界のニュース〟シリーズ①でご紹介したように国連の実態は〝多国籍な町内会〟なのです。

ここでチョット「例え話」をしてみましょう。

その昔、ご町内で派手な抗争があって、やらかしちゃった日本とドイツという武闘派のお宅に「ワレ！　じゃかあしいわいっ！　貴様らはおとなしくしとれやっ！」と他の国が怒りまくって、毎年〝みかじめ料〟を徴収するようにした仕組みが国連です。

この町内には中国とロシアという武闘派がおり、個人で所有している土地や車は全部没収しろと無茶苦茶なことを言いまくる一家がいるんですが、そちらも叩きのめすのは面倒くさいので一応は町内会の幹部ということにしてしまいました。

こんな腐りかけた町内会なのでドブ掃除すらきちんとやることができません。ロシアと中国が文句をたれるうえに、町内のほとんどの家が貧乏生活を強いられて町内会費を払わないので、ドブ掃除のスコップすら買えないからです。

このように財政が乏しい町内会はダメだということが最初からわかっている家が多いので、この国際的な機関は数多くの家から相手にされていません。

とはいえ日本は毎年必ず〝みかじめ料〟を払っているうえに、素直で単純な性格のため、この腐れ町内会の幹部が繰り出す口車に乗せられてしまいます。そして、ここが提唱する「ゴミ箱は〝護美箱〟と呼びましょう！」とか「多様性は地球を救う！」などといった町内の問題解決とはかけ離れたどうでもいい掛け声や運動に同調してしまい、ここで買わされたポスターを家の中に貼り、玄関には看板まで立ててしまいます。

さらに幹部が「地球を救うから！」と言い張るタピオカティーを神社の祭りでなんとたった独りで売る羽目になっているのです。

ところで日本のみなさんは「ＳＤＧｓ！　ＳＤＧｓ！」と国内で叫ぶまえに、ご近所さんがビニール袋や産業廃棄物が混ざっている工場の廃液をその辺に垂れ流したとか、特定民族グループを収容所にぶちこんでいるとか、女性を殴りつける男だらけだとか、ゴミ出しのルールどころか道がゴミだらけだとかいうことを指摘し、どうにかしろと怒鳴りつけたほうがよろしいかもしれませんね。

スパイ防止のために留学を拒否される中国人留学生

日本は中国人留学生に対して最もフレンドリーな国のひとつで、毎年一二万人ほどの中国人留学生が日本で学んでいます。今のところ中国人留学生に対する入国規制は緩く、試験に合格し日本政府の国費外国人留学生に選ばれた場合、日本政府は往復の航空券とか毎月一四万円ほどの奨学金、大学の学費まで負担してくれるという好待遇です。

中国人留学生はこの国費外国人留学生の九%ほどを占め、毎年およそ八〇〇人がこれらの費用を支給されています。

ところがその一方で、海外では状況がかなり異なっています。アメリカとイギリスの場合は二年前から国家安全保障政策のため中国の大学との提携を解消し、大学の特定分野での留学生の受け入れを国の安全保障の観点から禁止し始めているのです。

特に最近厳しくなったのはイギリスです。イギリスの場合は中国人留学生が博士号やポスドク（研究生）に応募する際、ＡＴＡＳ（Academic Technology Approval Scheme）という仕組みに沿って学生ビザを取得する前にイギリスで学習する専門が、出身国で大量破壊兵器の製造や軍事目的に使用されないという証明を取得する必要があります。

ただしこの証明は日本やアメリカ国籍の学生の場合は必要がなく、中国人に関しては必要になります。これはイギリス政府がイギリスの大学の研究成果や知的所有権が中国で軍用に転用されることを恐れたためです。

ＡＴＡＳが適用される学術分野はかなり広く、医療関係から工業なども含まれます。証明書の取得はオンラインでもできるようになっていますが、母国での就労状況の証明やリファレンスが必要で、かなり細かい部分まで証明が必須になっています。

二〇二二年に入りイギリスの国内治安維持に責任を有する情報機関である保安局、いわゆるＭＩ５（Military Intelligence Section 5）の長官は、中国共産党による西側の知的財産を対象としたスパイ活動が増加しており、ＡＴＡＳが開始してからすぐに五〇名以上の中国人留学生がイギリスから退去したと述べています。

さらにイギリス政府はイギリスの各大学に、中国共産党や人民解放軍とつながりが強い大学との提携を停止するように求めています。政府からの通達に違反した場合は大学にどんな問題が起こるかわかりませんので、すでにイギリスの大学はさまざまな中国の大学との提携を解消し始めています。

また今後どのような規制が発生するかわかりませんので、大学との提携だけではなく共同研究や研究者の招聘《しょうへい》、会議の共同開催などもやめるところが増えてきています。

これはシンクタンクやイギリス政府の調査で、イギリスのトップ二四校の大学のうち一四校の大学が中国の軍事技術会社や中国人民解放軍とつながりがある大学などと発表されたことも大きいでしょう。

マンチェスター大学の場合は同校が開発したアプリが中国で軍事企業により使用され、ウイグル人の監視に使われたということが指摘されて提携を解消しています。

このような例の場合、ソフトウェア製品などの一部が中国で軍事目的に使われる可能性もあります。イギリスの大学側はどのように使用されるかということを確認できなかったり自覚していなかったりする場合があり、とにかく中国とのつながりを断つという方向に動いている大学が多いのです。リスクを避けることが難しくなるからです。

一方でシンクタンクの「Henry Jackson Society」によれば、イギリスでは九〇〇人近い中国人学生が軍事関係の技術や知識を学んでいることが明らかになっています。

ＭＩ５と共同で中国のスパイ活動に対処しているアメリカのＦＢＩは、アメリカ政府は一二時間ごとに中国のスパイ活動に関する調査を開始するような状態で、過去七年で中国の西側の知的財産に対するスパイ行為は一三〇〇％増加したと述べています。

二〇二一年にはイギリス外務省が税務当局とともに、イギリス国内の重要機密を中国に漏洩した疑いで複数の大学を調査しました。そしてまたイギリス情報局の秘密情報部、いわゆるＭＩ６（Military Intelligence Section 6）も一〇以上の大学を調査したのです。

さらには輸出法違反で調査を受けた大学の教員や研究者は約二〇〇名に達します。イギリスの法令である「二〇〇八年輸出管理令」では重要機密などの漏洩は最高で懲役一〇年と重い罪なのです。

日本国内では日本の大学が軍事研究をすることが左翼系の人々に非難され話題になります。しかしなぜか日本国内で軍事技術に転用可能な技術や知的財産に接触する中国人民解放軍とつながりのある研究者や学生のことはまったく取り上げられないようですね。

キプロス島はロシア人天国だった

ロシアの汚職を象徴するのがロシア軍人によるものです。ロシア軍がウクライナで大失敗している理由は、プーチンが軍の財政状況を把握していなかったためだという分析があります。

ロシア政府は過去二〇年間、軍を近代化しようと莫大な資金をつぎ込んできました。その大半は内部の人間によって盗まれており、高官がお金を大量に盗んでキプロス等で豪華ヨットを購入するなどやりたい放題でした。とにかく装備や兵器の在庫がメチャクチャな状態なのです。

そしてロシアの盗まれたお金はキプロスへ向かいます。ヨーロッパにある島国キプロスは長年トルコとの紛争を抱えてきた緩衝地帯であるため、生き残りをかけて外国人に有利な税制や投資機会を提供してきたのです。

有名な仕組みのひとつが「EU golden passport」で、ロシアや中国の富豪が少なくとも三億円を投資することでキプロスの国籍を提供します。

キプロスはEU域内の国なので、いったん国籍を手に入れれば域内を自由に行き来できるうえに居住や就労の自由も得られます。ロシアの軍人や政府内部者は国のお金を盗んでキプロスに移動してきたのです。

このような仕組みで人口がわずか一二〇万人の小さな島国であるキプロスは潤ってきました。キプロスはもともとギリシャ語を話し、ギリシャ正教を信じているギリシャ系住人が多かったのですが、オスマン・トルコ帝国に支配された際に、トルコ系の住人がどんどん引っ越してきて住人の三〇%ほどはトルコ系になりました。

一八二一年に起きたオスマン・トルコからの独立を求めるギリシャ独立戦争でキプロスはギリシャ側で参戦しましたが、その後イギリスに統治されます。キプロスは対中東政策における重要軍事拠点であるため、イギリスはギリシャ系とトルコ系を分断した政策をおこなって統治を強化します。

この結果、ギリシャ側とトルコ側に帰属する人たち同士で争いとなり、一九六三年に民族紛争が起き、のちに事実上ふたつの国家に分断されています。

このように政治的に不安定で島も小さいので、経済の八〇％はサービス業頼みで旅行業の比重が大きい国です。

近年では武器商人、アダルトサイトのオーナー、政府関係者、資源で儲けた富裕層や金融の誘致を資金源にしていますが、ギリシャの経済危機で大打撃を受けました。ここ最近は資源とお金が豊富なロシア人を誘致してきたのです。

なんと二〇二〇年だけでロシアのおよそ四分の一の対外直接投資をし、一〇〇〇億ユーロ以上がキプロスに送金されました。

そして観光客の多くもロシア人です。ギリシャと同じくリゾート地はロシア人だらけで、真夏なのになぜか毛皮を売る店、ロシア人好みのギラギラ系のインテリアや宝飾品の店があります。もちろん今では戦争とコロナ禍により大打撃を受けています。

EUはロシアのウクライナ侵攻をうけて、EU加盟国であるキプロスにもロシア制裁をするように圧力をかけています。キプロスは当初、制裁への参加に渋い対応で、ウクライナへの支援にも参加していませんでしたが徐々に従うようになりました。

一方で、ロシアを完全に排除したわけではありません。ロシア政府が所有するＶＴＢ銀行は、ＥＵの制裁により国際送金システムのＳＷＩＦＴから追い出されてしまい、こっそりと自社の株をキプロスＲＣＢ銀行（Cypriot RCB bank）に移動して一〇〇％キプロス資本の銀行になってしまいました。

イスラエルがウクライナ支援に積極的でない理由

イスラエルは今回のロシアによるウクライナ侵攻では一歩引いており、西側諸国に比べて支援には積極的ではありません。ウクライナのゼレンスキー大統領が各国の国会で演説するときもイスラエルは実にはっきりと批判されていました。

イスラエルはロシアに対して、自国の防衛問題の観点から強い態度に出られません。まず重要な点は、イスラエルは中東で周囲が敵国ばかりである、ということです。小国イスラエルにとって自国の安全保障は生存戦略そのものです。

ロシアはシリアの実質的な支配者ですが、シリアの国内にはイランの武器供給拠点があり、イスラエルのミサイル防衛システムはシリア上空を飛んでいます。

そのシリアはイランの武器供給拠点をカバーすることになるので、ロシアの機嫌を損ねてしまうと、イスラエルはイランの攻撃にさらされやすくなります。こうして自国の防衛が危なくなるという問題が出てきます。

イランの攻撃力を強化する事態になると、イランは隣国のレバノンにも影響を及ぼし、これもイスラエルにとって問題です。またレバノンもイスラエルにとっての天敵です。だから自国の防衛を強化したいイスラエルにとって、ロシアがシリアの独裁政権と良好な関係にあり、イランとレバノンを抑えておくことはかなり重要なので、ロシアを支援しなければなりません。

その次に、イスラエルにとってはロシアへの経済制裁は大きな影響がありません。イスラエルにとってロシアとの貿易額は小さいので経済的な問題がないのです。なおかつ、イスラエルはもともと西側に対してたいへん懐疑的であります。

西側とロシアの関係がさらに悪化した場合は、どうなるかということでありますが、これは中国とロシアの関係を見ておくとわかりやすいでしょう。

バイデン大統領がロシアに対してより強い経済制裁を実施し、ロシアを挟んで追い込むと宣言した後、中国の外交部長（外相）である王毅《おうき》は、ロシアとの二国間関係は最も重要な戦略的パートナーシップであり、世界で最重要視するものだと宣言しました。

一方でイスラエルのラピード外務大臣はアメリカのブリンケン国務大臣と面会し、ロシアのウクライナ侵攻を激しく非難しました。ところがアメリカのイランとの核合意の立て直しに関して、イランに大幅に譲歩することはないと述べたことに対しては感謝を述べていません。

前述したようにイランとイスラエルは長い間敵対関係にあり、特にイランはイスラエルを「中東地域のガン細胞」と呼んでおり壊滅すべきだとまで言っています。

イランはこのように強烈な態度で、イスラエルに対しても西側に対しても大変強硬な態度をとってきたのです。そしてイランは核兵器を持つことを長年希望しています。

だからアメリカを含め西側国家はイランと長年核の取り扱いや、核兵器を開発しないことなどに関して交渉をしてきたのですが、当時のトランプ大統領がその交渉から離脱してしまいます。

やがてバイデン大統領になり交渉は再開しましたが、イランは核燃料をどんどん濃縮しており、核兵器をつくれるレベルにしようとしているとされています。

現在アメリカとイランは、イランの核合意に関しての交渉は大詰めの段階で草案を議論しているようです。この草案はイランが六〇％まで引き上げたウラン濃縮レベルを五％まで引き下げることを最初の一歩とする、韓国が凍結しているイランの資産を解除する、イランで逮捕されている欧米人を解放するといった条件が含まれているといわれており、アメリカの制裁解除も含まれているようです。

ところがこれはイランに対する大幅な譲歩が含まれているので、イスラエルは大反対しているわけです。このような状況下にあり、イスラエルに対する大きな脅威となるイランの防衛強化を阻止することは、イスラエルにとっては死活問題です。

だからシリアを支配しているロシアと協力関係にならなければイスラエルは困るわけです。これがようするに、イスラエルがヨーロッパ諸国やアメリカのように、ロシアに対して強く出ることができない理由です。

イタリアで極右女性首相が誕生した理由と移民問題

イタリアでは二〇二二年九月に上下両院の総選挙がおこなわれ、極右政党「イタリアの同胞（Fratelli d'Italia＝ＦＤＩ）」を率いる四五歳で高卒、シングルマザー家庭出身の労働者階級であるジョルジャ・メローニ党首がイタリア初の女性首相に就任しました。

ＦＤＩはメローニ氏が一〇年前に立ち上げた新しい政党で、二〇一八年の国政選挙では四・三％前後の得票だったのが今回は二六％でイタリア最大の政党になりました。

メローニ氏が主張する概要は以下のとおりです。

・自然な家族に賛成
・ＬＧＢＴＱロビーに反対
・同性愛カップルが子どもを持つことに反対
・性的アイデンティティに賛成
・ジェンダー思想に反対

・イスラム主義暴力に反対
・強固な国境に賛成
・大量移民に反対
・大きい国際金融機関に反対
・人々に仕事をつくることに賛成
・ブリュッセル（ＥＵ）の官僚支配に反対
・ＮＡＴＯを支持

なぜ美しく若い女性政治家がこのようなイタリアのイメージとかけ離れた主張をするのかということを疑問に思う方が多いかもしれません。以下は彼女が二〇一九年におこなった演説からの一節です。

「私はジョルジャ、私は女、私は母親、私はイタリア人、私はキリスト教徒。あなたたちはこれを奪えない！（"I'm Giorgia, I'm a woman, I'm a mother, I'm Italian, I'm Christian! You won't take that away from me!"）」

これを知るとなんとなくイタリア人が求めることがわかります。これはネット上でのミーム（meme）、つまり流行の動画やコラージュなどから生まれたキャラとなり、イタリアで大人気となりました。彼らは自分たちのアイデンティティを失い、国際資本に飲み込まれていくことを恐れているのです。

メローニ氏は「伝統的な家族の価値観」を大事にすべきだという主張ですが、日本のみなさんのイメージとは異なって、近年のイタリアでは崩壊している家族が少なくありません。

もちろんヨーロッパの北部に比べるとまだまだ伝統的な家族観が強い国で、家族の結びつきはたいへん強固です。ところが最近は都市部で核家族化が進んでいて、経済的にもかなり厳しい状況で仕事を探すのが難しいところです。だから夫婦共働きが当たり前で長時間労働も少なくありません。

私は国連専門機関の職員としてローマに四年間住んでいたのですが、二〇年以上前からイタリアは大卒の高学歴の人でもコネがなければ正社員のポストを探すのは大変でした。それは不況とコロナ禍でさらに悪化しているのです。

イタリアはヨーロッパの北部と異なり、第一次産業や第二次産業の割合が高く知識産業の発展があまり進んでいません。ドイツのように工業が強いわけでもなく、イギリスや北欧諸国のようにＩＴや金融が強いわけでもありません。

仕事をしても報酬はかなり低く、四〇代でも月収が一五万円などという人も少なくありません。それも低学歴の人ではなく超一流大学を卒業した人です。給料があまりにも安くて仕事もないため、あえて結婚しないカップルや独身の人だらけです。このような状況は日本に似ている部分があります。

もともと家族の結びつきが強い土地ですから、本来なら共働きなんかしないで、奥さんは家にいて、週末は家族で集まってのんびりと食事をしたいと望む人が多いのです。ところが今の経済状況ではそれは無理だという家庭は少なくありません。

また海外に出稼ぎにいっている人も少なくないのです。

お金や仕事のことで揉めて離婚する夫婦も多くいます。実はイタリアに住んでいる私の友人何名かも離婚しています。その理由はやはりお金と仕事です。

そのような状況のイタリア人に「伝統的な家族の価値観を取り戻しましょう」「家族

みんなで安心して働ける社会にしましょう」と言われたら、選挙でメローニ氏に投票しない人はいないのではないでしょうか。

シングルマザー家庭出身で親の不仲に悩み、非正規の仕事を転々としてきた高卒のメローニ氏はまさに当事者で、主張には大変な説得力があるのです。

イタリアは地中海を渡り入国する不法移民の受け皿に

「LGBTQやジェンダー思想への反対」もイタリアの多くの人に刺さる主張です。イタリアはアメリカやヨーロッパ北部と異なり、女性は女性らしく、そして男性は男性らしく、常に恋愛を楽しみ、どちらも美しくセクシーにするのがよいという価値観が強い国です。

女性のファッションは日本よりもはるかにセクシーで女性らしさを強調します。オフィスや一般的な場所での性的な差別は、日本よりも厳しい場合が少なくありません。またアメリカやヨーロッパ北部から入ってくるLGBTQやジェンダーへの価値観に違和感を覚える人が多いです。

「イスラム主義暴力への反対」は日本の方にはピンとこないかもしれません。これはイタリアで大きな議論になっている問題です。

ヨーロッパの他の国と同じく、イタリアにはイスラム教の過激派が入ってきており、そのなかには移民として定住している人々もいます。イタリアはヨーロッパにおける海を渡った経済移民や難民、さらには不法移民の「入り口」なのです。

ＥＵでは彼らが最初に到着した国で受け入れられるべき、という協定があるので、めざしている国は別のところでも、海路で入りやすいイタリアに大量の移民がボートでやってきます。ところが、そういった移民は試験を受けるわけでも思想調査を受けるわけでもない。なかには過激派思想を持った人がいます。

そういった人々がイタリアで過激な主張を繰り返したり、テロ行為をしたりすることが重大な問題になっているのです。この国は他のヨーロッパ諸国に比べ、イスラム教の過激派によるテロが少ないとされていますが、過激派がまったくいないわけではありません。

ただし他国との違いは、イタリア内務省にはイタリア国籍や海外国籍の過激派を迅速に国外退去にする権限が強いことです。

イタリアは地中海を渡って海から転がり込んでくる不法移民の入り口になっています。その多くは北アフリカや中東、南アジアからやってきます。国連の調査では二〇二二年だけで海を渡ってイタリアにやってきた移民は七万一〇〇〇人余りにもなり、二〇二一年より五〇%も増加しています。

上位三カ国はエジプト、チュニジア、バングラデシュで、到着した移民の七五%は成人の男性です。二〇一五年の難民危機以後、海を越えてイタリアにやってきた移民は、なんと七五万人にもなるのです。

ところがEU各国が最初の入口であるイタリアに協力しているわけではありません。それでも財政が厳しいのに、受け入れ費用をイタリアが負担することになります。急激に難民が増えれば収容施設は満杯です。かといって他の国が受け入れてくれるわけでも、仕事を世話してくれるわけでもありません。

初の女性首相になったメローニ氏のように、地中海を越えてやってくる移民に厳しい規制で対応するという主張の背景には、犯罪組織の問題もあります。

犯罪組織はどうしてもヨーロッパに渡りたいという人々から大金を受け取り、ボートに乗せて送り出すのです。

国際移住機関（ＩＯＭ）によれば、ナイジェリアからヨーロッパに送り出される女性の八〇％が、女性を性的に搾取する人身売買組織の被害者です。

送り出される前に彼女たちのスポンサーは犯罪組織にスポンサーフィーを支払っています。イタリアに到着すると、難民収容センターに入っても、就職にスポンサーが接触してきて売春させられたり、奴隷労働に従事したりしなければなりません。

またイタリアに到着して来てからも、収容所周辺にはさまざまなマフィアやギャングがいるうえに、言葉の難しさや仕事を探すことの困難さもあります。そのために、そういった犯罪組織の餌食になってしまう人も多いのです。

犯罪者は移民を送り出すほどに儲かる仕組みになっているので、ヨーロッパ各国の政府は規制を厳しくするべきだと主張しているところが少なくないのです。

だからヨーロッパの保守系政治家の「地中海を渡ってくる難民や移民を厳しく規制す

べきだ」という言葉の背景には、難民や移民が犯罪組織の犠牲になることも考えるべきだという意味もあるのです。彼らは決して移民全体を規制しようといっているのではありません。

つまり日本で例えると「犯罪組織に莫大な手数料を払って不法入国してくる中国人不法移民やベトナム人不法移民を規制しましょう」というのと同じことなのです。

初の女性首相メローニ氏の知られざる生い立ち

メローニ氏が生まれた背景は実にカラフルで、その生い立ちは『Io Sono Giorgia』（私はジョルジャ）という題名の自伝でも語られています。

ローマのガルバテッラ地区の労働者階級出身で子どもの頃から政治に興味があり、一五歳で政治活動を始めます。母親はロマンス小説の作家として働いて彼女を育てました。ガルバテッラ地区は私が住んでいたエウル（ＥＵＲ）地区からも近く、同僚や友人たちのマンションがあったのでよく知っています。戦後に建てられたファシスト系の住宅や、ちょっと新しめなマンションがあり、壁はスプレーでの落書きだらけです。

同僚のひとりはマンションの前に新車を路上駐車していて、買った二日目に盗まれています。バイクや車を路上駐車できない地区です。観光地ではないのでローマの中心地のような高級店があるわけではありません。

職場に車で向かうときは、この地区にある地下鉄ガルバテッラ駅前の道路を通っていました。私は運転しないので他者がハンドルを握るときは運転が恐ろしく荒い人が多く、通るたびに罵声を飛ばされます。また、やたらとバイク事故を見かける通りです。

この一つ先の地下鉄オスティエンセ駅の周辺は夜になると人影がまるでなく、駅自体も薄暗くロシアの地下鉄よりも怖いほどでした。いつも麻薬販売人や泥酔した人がいるので、ここを歩くのは避けるようにと多くの人々に注意を促されていました。

メローニ氏のキャラクターも出身地を反映していて、きっぷがよくユーモアのセンスがあるローマ人です。とにかくローマという街は雰囲気が庶民的で足立区とか荒川区のような感じです。

父親のフランチェスコは彼女が赤ん坊の頃に家庭を捨て、「クレイジーホース」（狂った馬）と名づけたヨットでスペインのリゾート地として有名なカナリア諸島に移住し、ゴメラ島でレストランを経営していました。それは繁盛しなかったようです。

一九九五年には「クールスター」と名づけたヨットでモロッコから大麻一五〇〇キロをイタリアに密輸しようとしたようです。ところがスペインのメノルカ島で税関に見つかってしまい、懲役九年の有罪となり服役していたのですが白血病で死亡しています。彼女は一一歳以降、父親に会っておらず、死に関しては何も感じなかったそうです。

とはいえ、このような彼女の生い立ちは「伝統的な家族観を重要視しよう」という政治的主張につながっているのではという憶測もあります。選挙戦でも「自分は女で、母親である」と家族での役割を強く主張していましたが、自身が〝崩壊した家庭〟出身であることが多くの人々の共感を呼んだのかもしれません。

また、モロッコなど海外からの不法移民や犯罪者によりイタリアに麻薬が持ち込まれることでイタリア社会が破壊されることを強く非難していました。移民が来ないように海路を封鎖すべきだと強く主張していますが、これも自身の父親が麻薬取引で服役していたことが背景にあるのではとも考えられています。

第2章 世界の「真実」を日本人は何も知らない

外国人参政権、実は全然広まっていなかった！

日本では最近外国人に参政権を与えるべきだと主張する人々がいますが、このことを強く訴える人たちは、まるで海外では外国人に地方選挙でも国政選挙でも参政権を与えているというような発言を繰り返しています。

ところが実際に海外を見てみると、外国人に対して参政権を与えているところはそれほど多くはなく、かなりマイナーな主張であることがよくわかります。

たとえば多くの国々では、大統領選挙など直接選挙でその国の国籍保持者以外は投票できないことになっています。これは国会議員を選ぶ国政選挙でも同じです。

一方で地方選挙の場合は外国人や永住権を持っている人でも投票できる場合があるのですが、ここで問題なのは日本ではなぜか指摘されない点があることです。

特に外国人の地方選挙への投票が強化されている国は、ヨーロッパの規模が小さな国、北欧、アメリカの沿岸部にある大都市などの地域に限られます。そういった地域には二重国籍や三重国籍の人がかなりいるということです。つまり外国人とはいっても、実はそこの国籍があるという人もいるのです。

さらに親の片方はそこの地域出身でハーフの人、またこれは日本ではなかなかないのですが、先祖がその国出身など、なんらかの形でその国とつながりがある人がかなりいることです。さらに北欧の場合はもともと今と昔では国境線が異なっていたので、今は紙の上では外国人だが文化的にはその国の人だということもあります。だから外国人とはいっても、厳密には外国人という感じではない人がいるのです。

たとえば私の知人の場合、この方が持っているパスポートはフランスだけど生まれたのはアメリカで育ったのはキプロスとイタリアです。ご両親はアメリカ人とフランス人のハーフなので家の中はアメリカとフランスのハイブリッドな文化です。でもイタリアでかなりの時間を過ごしているので、ご本人はどちらかというとイタリア人です。

こういう人がイタリアの地方選挙で投票する場合、感覚的には地元のイタリア人以上にイタリア人かもしれません。だからイタリアに関してはパスポートを持っておらず、国籍もなく、永住権しかなくても、考え方や感覚はイタリアの地元の人なわけです。

こういう方の場合、その国に来てまだ三年ぐらいしか経っていない思いっきり外国人的な外国人とはかなり違うでしょう。このように欧米ではハイブリッドで複雑な背景を持った方々がかなりいるので、そういう人を想定して外国人選挙権を議論し、選挙制度もつくっているのです。

だから厳密にいうと、外国人も地域の住人として認めてどんどん選挙権を与えよう、という感じではなく、地元になんらかのつながりがあって、長く住んではいるが複数の国籍を持ったりしている人にも意思決定に参加してもらおうという感覚なのです。この点において日本の議論はちょっとずれているなと思うところがあります。

実はジェンダー平等が進んでいない海外の国々

日本では、ヨーロッパではジェンダーの平等が進んでいると言われることが多いのですが、実態は十分伝わっていないなあと感じています。

たとえば「平等」になるということは、甘えも許されなくなるということです。日本では女性は「そんな大変なことはやらなくていいよ」と配慮されることがめずらしくありません。会社でもあまりキツイ業務には就かせません。

ところがイギリスはじめヨーロッパ北部ではそのような配慮はあまりなく、働く人は成果を数字で評価されますので、女性であっても男性とほぼ同じくかなり厳しい業務評価にさらされます。未達成であれば当然クビです。見た目がよくても可愛くても数字で成果が出ますのでごまかしが効きません。

妊娠したり、出産したりすると、どうしても仕事にギャップが生まれてしまいますし、与えられた成果を達成できなくなるので「未達」でクビや減給になります。

それは完全に「合法」なので、「出産や妊娠で差別したわけではない」という理由をつけることが可能です。仕事の場では、こうやって「差別」される女性も多いのです。「未達」が怖いので、子供を産まない女性もいるし、仕事自体をやめてしまう方も少なくありません。産休や育休も実は日本のほうが遥かに長かったりします。

ヨーロッパ北部の場合、制度はあってもそれ以前に業績評価が厳しいので、そう簡単には育児と仕事を両立できないのです。アメリカはもっと激しく、病欠もとれないのが実態です。解雇規制がはるかにゆるいし、ヨーロッパや日本のように国の介入が激しくなく、雇用契約は企業と労働者の間の「合意」で決まるからです。
そんなこともあって、実は日本の大企業や官公庁は海外より働きやすいんです。

ヨーロッパでは男女差をはっきりさせるのが当たり前

イギリスだけでなくヨーロッパでは普段から男女の差をはっきりさせることが当たり前です。日本では最近は制服もジェンダーレスにするべきだとかおかしなことを言っている人がいますが、「ジェンダーレス」が進んでいると左翼が言い張っているヨーロッパはその逆です。制服はもちろん男女別で、エリート校の大半は男女別学。特に「ジェンダー」では最先端のはずのイギリスはそうなんです。

普段でも女性は胸や臀部を強調するセクシーな服を着るのが当たり前で、男性は筋肉をバンバン鍛えてマッチョであることを主張するのが当然のようです。だからイギリスだけではなく、ヨーロッパではジムは若いムキムキの男性やセクシー系女子だらけで、日本にありがちな年寄り多めの社交場にはなっていません。

中心はサウナや風呂ではなくガッツリ鍛えるマシンで、やたらとフリーランスのパーソナルトレーナーがいます。三〇分五〇〇〇円ぐらい取られますが、けっこう田舎のほうにいっても営業中のところがあり、それだけ需要があるということです。

さらに日本だと最近は見かけないようなハードコアな鍛える系ジムもあって、郊外やちょっと荒れた感じの市街地にある倉庫の中にプロ用のマシンを備え付けてあります。かつてのスティーブン・セガール氏のようなトレーナーが必死になって指導しています。通っている若い男子やおっさんはムキムキです。

こんな調子なので、筋肉を増強する商品も日本より種類が豊富で容量も大きいです。プロテインパウダーの二キロ入り、五キロ入りなどが売れていて、ジムで水を飲むためのボトルも二リットル用、三リットル用など、とにかく大きいのです。

男は男らしく、女は女らしくセクシーに、とばかりにヨーロッパは南下すればするほどそういう傾向です。イタリアやフランスは中年や高齢の女性でもセクシーさを強調するのが当たり前で、胸の谷間を見せるのもめずらしくありません。

ワンピースは日本で流行っているダボダボでなく身体にフィットするボディコンが主

流です。ときどき一九八〇年代後半のバブル時代に逆戻りしてしまったのかと錯覚を起こしてしまうほどです。

オフィスではビシッとしたタイトスカートが主流です。私はピッタリした服が苦手なので、フワッとしたスカートや緩めのトップスを探すのに苦労しています。ようやく緩い服を発見したかと思うと、今度はダボダボすぎて着られません。

ビジネスの場でも女性が女性らしくビシッとしたスカートをはき、一〇センチ以上のハイヒールでオフィスを闊歩することが当たり前です。幹部クラスの女性もセクシーさ全開の人が目立ちます。真っ赤な口紅にピタッとしたドレス。髪の毛は長めでセクシーさを強調。男女の賃金格差が急速になくなってきたイギリスでもそんな感じです。

また日本のフェミニストが持ち上げるドイツですら女性は真っ赤な口紅を塗って髪の毛は金髪。挑発的な体にピッタリしたスーツを着て高いヒールを履く。ドイツの職場はイギリスより服装にシビアで女性はきれいにしていないと冷たい視線を送られます。

ヨーロッパの女性政治家もこの「男は男らしく」「女は女らしく」の原理に沿っていることにお気づきでしょうか。

男性はおしゃれな質の良いスーツをビシッと着こなし、近くに寄ればとても良い香りのコロンが漂ってきます。靴もとてもオシャレです。ダボダボなスーツのボリス・ジョンソン氏、あの方は例外です。女性の場合も真紅の口紅、一〇センチのヒール、ピッタリのスーツ、ロングブーツなどでとてもオシャレです。

最近だとイギリスの首相になってすぐ（残念ながら）退任したリズ・トラス氏、イタリア初の女性首相ジョルジャ・メローニ氏も金髪に女性らしい服でバシッと決めており、「ジェンダーレス」とは正反対です。退任したドイツのメルケルさんもよく見るとメイクは地味ですが、髪型は工夫されているし、スーツもパンツルックが多いですがとてもオシャレです。

日本のジェンダーレス化推進活動家はこのような「ジェンダー平等先進国」の実態を無視して、はるか遠い日本にずいぶんと偏向した実態を伝えているように思えます。

セクシーじゃないと底辺層に没落するヨーロッパ

ヨーロッパにおける「男は男らしく」「女は女らしく」はある意味、日本にはあまり存在しない社会的な同調圧力ともいえます。セクシーでなければならないことは、つまり実はけっこうルッキズム、見た目による差別が厳しいです。これは私が実際に現地で生活してみて感じることです。日本にも見た目による差別はあります。ところが日本における差別のポイントや同調圧力はヨーロッパとはちょっと異なります。

近年の日本は「かわいさ」や中性的なことが好まれるようです。でも一九六〇年代ほどまではヨーロッパに近い感じがありました。男は男らしく女は女らしくという感じで、それが変わり始めたのは私が学生だった一九九〇年代ぐらいのような気がします。

セクシーでなければならないという風潮のピークは、日本ではバブルの時期ではなかったでしょうか。ところがそういったものは今はすっかり消え去ってしまい、中性的な男性やダブダブの服を着たおとなしい感じの女性が好まれています。

うちの家人はイギリス人ですが、日本の街中を歩くと男か女かよくわからない人が多いから判断に困るというのです。特に日本の女性はボーイッシュな格好の人が多く、歳をとっていても若く見える人が多いので年齢も不明、少年のような髪型をした人も多く、男性と間違えることが多いそうです。

そしてユルユルとしたズボンの人も多いので服装でも男か女か判断するのはとても難しいといいます。

さらに日本で美容院や床屋にいくとたいへん困るのが男性用の髪型だそうです。ヨーロッパ基準だと女性がするようなショートカットにされてしまうので実に困るというのです。

そして家人が「あぁ！　ヨーロッパ基準はこの髪型なんだよ。どうしたらこれを注文できるのか？」と指摘したのは、上皇陛下が若かりし頃のヘアスタイル、グループサウンズ「ブルー・コメッツ」メンバーの七三分け、さらに「慎太郎刈り」でした。

このように日本は普段の生活でもユニセックスが進んでいて、見た目の点でも性別をあまり強調しないというめずらしい先進国です。発展途上国はもっと男女差がはっきりしているので世界的にめずらしいといっていいでしょう。

つまり日本は性差の縛りにこだわらず、ある意味で近代の先端をいくポストモダンな社会なんです。しかも街中でミリタリーファッションやコスプレをしていても誰が何を言うわけでもない。そうですか、あなたはそういう趣味なんですね、で終わりです。

ところが日本の左翼がリベラルだ、先進的だとか言っているヨーロッパには、こんな自由はないです。セクシーな格好ができない人間は教室の片隅で殴られても仕方がない。スクールカーストの底辺層認定で社会生活を営むうえではマイナーな存在として生きていくほかかない。スクールカーストの底辺へのいじめや扱いは日本では想像できないほど陰湿で暴力的です。ヨーロッパはまだ緩いほうで、アメリカはもっと直接的です。

だからそういう人は、オタクや地味な人間が生きやすい日本へやってくる。日本は地味な人間がひっそりと生きていける楽園なのです。

「多様性」にうんざりしているイギリス

日本の左翼の人々は、欧米は日本よりもはるかに多様性に関する意識や施策が進んでいることを繰り返し述べています。たしかにそれは真実です。アメリカは移民社会でイギリスも移民が多く、さまざまな宗教や考え方の人がいて日本に比べると多様です。

ところが、その多様性に関する考え方がかなり偏っており、少数派に対する配慮や施策を重要視するのを押し付けるような傾向に辟易している人も少なくありません。近年では昔のように思いっきり差別をする人はいないし、実績重視の職場が増えているので属性よりもその人の成果や人となりを重視する方が増えているのです。

職場や役所は「多様性に配慮しています」と主張すれば、職場の実績評価を満たすことができるので、あまりにも官僚的な形で多様性に関するトレーニングや施策をやっていることがあってか、予算達成だけが目的となり、時間の無駄になってしまっています。

たとえば二〇二二年にイギリスの新しい首相になり、すぐ退陣したリズ・トラス氏は、党首選前に、現在官僚に提供されている「多様性に関するトレーニング」はかなり偏った視点でつくられており左翼的で押し付けがましく、かえって分断を煽ると断言し、首相になった暁には廃止するという公約を掲げました。

そして「行政が人事部と活動家に乗っとられてしまった」とテレビ番組ではっきりと

述べたことは驚かれるどころか、多数の人に支持されました。これはトラス前首相の意見に同意する人がかなり多かったからでしょう。

少なからず職場や行政組織では「多様性のトレーニングをやること」が目的になってしまっている実態もあるからです。専門のコンサルタントや非営利団体に莫大な費用を払う形になっており、そういった人々の仕事をつくりだすためにトレーニングをやっているようなところがあるのです。

重要なのはどんな結果があるかということ、そして職場でさまざまな人が快適に過ごして良い実績を出すことで、トレーニングをやることではありません。多くの職場は常識がある大人が働いているので、まるで幼稚園児に何かを教えるようなトレーニングは時間とお金の無駄でしかないということを感じている人が多いのでしょう。

ヨーロッパ人は宗教心が薄い

日本の方が勘違いしていることのひとつに、欧米ではキリスト教が主体でみんな信心深く、日曜日やクリスマスは熱心に教会へ通っているということがあります。これは日本のマンガとかアニメの影響が大きいのでしょう。ところが、みなさんの想像と大違いでこれらの地域では年々信心深い人が減っているのです。

たとえばヨーロッパの場合、北上すればするほどキリスト教の信者は減少傾向にあります。クリスマスに教会へ行くような人は現代のイギリスではほとんどいなくなってしまっている状態です。驚くべきことに、ご自分が若かった一九六〇～七〇年代には毎週のように教会に通っていたようなお年寄りでも、「寒いから」「面倒くさい」「お金を払いたくない」ということで、クリスマスにすら教会には近寄りません。

イギリスの場合、国の宗教であるイギリス国教会だけではなくメソジスト教会やバプティスト教会、カトリック教会など、さまざまな宗派でほぼ似たような感じです。

みんなが教会に行かなくなったわけではありません。昔はテレビやネットがなく娯楽があまりなかったので週一回、日曜日には教会へ出かけ、ありがたいお話を聞き子どもにタダで勉強を教えてもらい、近所の人と交流するのが重要だったのです。

要するに昔の日本の村祭りのような感じですね。だから教会に行っていても、あまり熱心に宗教のことを考えていない人もいました。日本人が思っているよりもかなりライトな感じで教会に行って説教を聞いていたりしたわけです。

若い人のなかには出会い目的で教会に入っている人もいました。当時はバーもディスコもあまりなく、出会い系サイトもありません。学校に通うのは一五歳ぐらいまでだったりするので、嫁や婿を探す年齢のころになかなか出会う場がないのです。

毎週通う教会だと必ず同じぐらいの歳の子が来ていて、近所の顔見知りだったりするので相手探しにはちょうどよいというわけです。しかも当時の教会は、教会の敷地やホールを使ってサークル活動の機会を提供していたので男女での活動に「理由」をつけることができます。実は私の義父母も家人のお祖父さんお祖母さんたちも教会のサークルで出会っています。

ところが時代は移り変わり、特に一九八〇年代になるとケーブルテレビと衛星によりテレビのチャンネルが爆発的に増える地域が多くなりました。これはイギリスだけではなく、ヨーロッパ大陸もアメリカも同じです。

さらに社会が豊かになると多くの人が車を買って、いろいろな所へ遊びに行くようになります。飛行機代も安くなり海外旅行へ出かけるようになる。レストランやクラブもどんどん増えて遊ぶのが忙しく、教会へ行かなくなってしまったのです。よく考えたら、まじめに説教を聞いたり聖歌を歌ったり聖書を読んで、おもしろいはずがありません。

それでも国土が田舎だらけのアメリカはヨーロッパの都市部や日本に比べ娯楽がないので、いまだに熱心に教会へ通っている人々がいます。私はなぜアメリカにはこんなに熱心なキリスト教徒が多いのか、自分がアメリカ南部に留学して人々の生活する様子を見て実感いたしました。

アメリカの田舎は出歩くところが本当になく、街にあるのはスーパーとファストフードの店くらい。レストランといえばファストフードの店とかピザ屋とか、ようするに日本のド田舎の郊外とあまり変わりません。はっきり言ってイオンがあるだけ日本の田舎のほうが一〇〇倍マシなんです。

しかも田舎ではムラ社会なので近隣の監視の目も厳しく、バーやクラブに行くと一気に噂が広がってしまいます。監視の目が厳しくうるさいので、教会の活動に参加していないと「あんた、なんで来ないの?」というふうに言われてしまいます。

さらに人種や地域別に派閥ができていて、教会に行っていないと知り合いができないために商売や就職、入学で不利になってしまうこともあるのです。とにかく娯楽がないので、教会でやる祭りとかバザーが暇つぶしの楽しみです。日本人だったらとても楽しめないような超単純な田舎の祭りに大人がすごく喜んで大興奮しているのです。

イギリスエリート校が日本にアジア校を開校する理由

最近、日本ではイギリスの名門パブリックスクールがアジア校を開校していることが話題になっています。その代表例は岩手県のスキーリゾートである安比高原に開校したハロウインターナショナルスクール安比ジャパンです。

ハロウ校はイギリスでは超有名なパブリックスクール、つまり全寮制の私立学校です。貴族や紳士階級の次男や三男を放り込んで教育するための学校であり、進学率が高く、いわゆる名家の子どもが在籍しています。この学校以外にも日本には続々とイギリスのパブリックスクールが開校を始めています。

しかしなぜこのタイミングでわざわざ日本に開校するのか――。こういう学校は学費が年に一五〇万円から三〇〇万円で、寮費や各種諸経費を含めた場合は年に一〇〇〇万円近くかかります。収入格差が拡大している日本でこの学費を払えるような家庭はそれほど多くありません。こういった学校がターゲットにしているのは日本人ではなく中国や韓国、東南アジアといった国々の富裕層の子どもです。

彼らは資産を保全するために子どもにはどうしても自国の外で英語の教育を授けたいと思っているので、以前から欧米にある私立の学校に子どもを送り出していました。ところが欧米の学校はアジアからは距離的に遠く、子どもが私立の小中高に在籍するのにはビザが必要です。さらには保護者のどちらかが一緒に同居もしくは同じ国に滞在していなければならないという決まりがある国も存在します。

全寮制の学校でも国内で連絡がつく保護者が必要で、ビザが親の片方しか出ない国もあるので非常に不便です。身内が往復するのに時差もありコロナ禍でいつ出入国できなくなるかわからない。そこでビザの発給条件が格段に緩く不動産が激安で自国から近い日本が便利、となったわけです。さらに日本は治安もよく環境汚染問題もそれほどありません。

日本の近隣国に行かれた方はご存知でしょうが、大気汚染や食物の安全性、水資源に大きな問題があります。ホテルや空港を一歩出ればどんよりとした空気が広がり、大気がなんとなく霞んでいます。外を歩くと鼻の穴が真っ黒になり、国によってはプールやシャワーの水はドブ臭く、シャワーを浴びれば皮膚や局部が痒くなったりします。

下水が垂れ流しで、リゾート地でもお洒落なホテルの横からジャンジャン下水が溢れている。七色に輝く謎の液体がドブに流れ、屋台の間をゴキブリやネズミが這いずりまわる。食品衛生もまるで信用なりません。店舗の商品がホコリだらけで生産地の偽装も当たり前、料理をするのにペットボトルの水を使わざるを得ないところもあります。

こんな調子なので環境汚染により子どもが喘息やアレルギー、皮膚病を患っていることもめずらしくありません。欧米に移住する中国や東南アジアの中流層や富裕層は、子どもの健康が理由であることも少なくなく、アジアで欧米並みの環境や食物の安全性を備えているのは日本くらいなのです。

さらにもうひとつの問題として、中国ではパブリックスクールやインターナショナルスクールの開校が難しくなっていることが挙げられます。

中国政府は私立学校や塾における教育への規制を厳しくし、多くの教育機関が閉鎖しましたが、海外のカリキュラムで教える学校も例外ではありません。新しい規制では学校名に外国名や「グローバル」「インターナショナル」といった単語を使うことを禁止しています。このような規制はさらに厳しくなることが予想されています。

トランスコミュニティに攻撃されるハリポタ作者

日本では最近ＬＧＢＴＱの権利に関する意識が高まっており、学校や職場でもトレーニングをしたり性的少数派の人にパートナーシップを認めたりと、さまざまな配慮をするところが増えています。日本で特に議論になっているのがトランスジェンダーの人々に対して自認する性に沿った設備の使用を認めるとか、スポーツに参加することを認可するかどうかということです。

日本ではまだ議論の段階ですが、欧米ではトランスジェンダーの人々の希望に応える団体や施策が増えています。アメリカでは「自称女性」の人が女性のみのスパに入店し、女性用の更衣室で女児に対して自分の性器を見せつけるという事件が起きました。

これは動画がネットに拡散しており、驚いた成人の女性が「あんた何をしているの！」と取っ組み合いになっているところを見ることができます。この男性は子どもに危害を加えることを目的として更衣室に侵入したようです。ところが受付の人は、この男性の入店を受け付けないと訴訟を起こされる可能性があり拒否できなかったのです。

またトランスジェンダーの元男性が、女性選手として競技に参加することに関してはたいへん議論が大きく、団体や競技によって認める場合と認めない場合に分かれています。とはいえ今のところ認めないとする競技がかなり多いです。

日本よりもＬＧＢＴＱの議論が進んでいるイギリスであっても、元男性のトランスジェンダーの女性に、女性用の更衣室やトイレを使うことを許可しないという職場もあります。法的な権利としては使うことができるのですが、同じ職場の女性たちが拒否感を示した場合、人事部が配慮してトランスジェンダーの人に障害者用のトイレを使ってもらうなどの配慮が実際に起きています。これは私の知人の職場での状況です。

そのようなイギリスで数年前から話題になっているのが、『ハリー・ポッター』シリーズの作者のJ・K・ローリング氏のトランスジェンダーに関する発言です。

同氏はときどき「Twitter」や公演などで性の自認に関して意見を述べることがあるのですが、「Twitter」で「トランス女性は女ではない」と発言したためにトランスコミュニティに攻撃されるという事件がありました。

同氏は作家であり単に自分が思ったことを軽い感じで「Twitter」によって発言しただけです。差別的な意図はなかったにもかかわらず、まるで同氏の発言を封じるような形で非難が殺到したので、これは言論の自由への挑戦ではないかという意見があるのです。さらに同氏がさまざまなイベントに登場したり、「Twitter」で発言したりするたびに、トランスコミュニティからの攻撃が増えるようになりました。

こうして事態はエスカレートし、トランスジェンダーの女性作家が、J・K・ローリングは凄惨な死を迎えるという小説を発表し、アメリカの大手出版社のマクミランが発売して議論になってしまいました。これは同社が作家としての同氏を攻撃しているのではないか、といった議論にまでなりました。

たしかに他の作家に対しては人格攻撃や明らかに誹謗中傷になるような書籍は出すことを躊躇するような出版社ですから、この作品に関しては率先して出版したというのはなんだかおかしな感じがしますね。

ローリング氏はトランスジェンダーの人を差別したり、なにか危害を加えたりということはありません。作品中でも差別しているわけではないので、差別反対と言いつつ、単に彼女の表現の自由や人格を攻撃し、誹謗中傷をしているだけに過ぎないのではないだろうかという意見もあるのです。とはいえ、なぜかイギリスのメディアではこの件に関する議論はタブーのような状況になっています。

第3章　世界の「表と裏」を日本人は何も知らない

虐待がすごいから海外では動物愛護が熱心

ヨーロッパやアメリカでは動物愛護が進み、日本よりもペットに対してやさしいはずだと思い込んでいる人が多いようです。日本ではホームセンターやショッピングモールにペットショップがあり、犬や猫が小さなプラスチックのケージに入れられ売られているので日本の動物愛護の活動家は動物虐待大国だというようなことを言っています。

ところがこれは大きな間違いです。ヨーロッパやアメリカにおける動物虐待は日本人の想像をはるかに超えています。ヨーロッパ大陸の場合、毎年夏や冬の風物詩はバカンスやクリスマス休暇の際に、その辺に捨てられる犬や猫です。高速道路の路肩に置き去りにしたり公園に放置したりします。

そういう犬猫はさっさと引き取られて保護センターに送られ、国によってはあっという間に殺処分するので日本に比べると野良犬や野良猫はあまりいません。ヨーロッパ大陸は自己中心的な人が多いので、こうやってペットをどんどん捨てるのです。

イギリスでは二〇二一年に「動物福祉法」（Animal Welfare Bill）により動物虐待で

有罪になった場合の最高刑を懲役六カ月から五年、罰金は上限無制限に改定しました。この法では「犬の耳を勝手に切って整形すること」「闘犬」「子犬や子猫の虐待」「牧場の動物を放置すること」などが禁止されています。

さらに動物福祉法では「業務を行う動物」に対する危害や虐待が厳しく罰せられることになりました。これは警察犬や盲導犬などが「自己防衛」という理由で、犯罪者に刺されたり銃撃されたりしたことが原因です。つまり、それだけ動物に対してかなり凶暴に攻撃する犯罪者が多いということです。

イギリスのガラが悪い地域では闘犬を攻撃する犯罪者も多く、警察が業務に使用する動物に対して攻撃を仕掛ける人間も少なくないのです。ただしこれまでの法律だと処分が甘すぎたので、改定された動物福祉法を適用することになったわけです。

アメリカ人がフレンドリーな真の理由

日本人は、アメリカ人は実にフレンドリーだと思い込んでおり、日本の英語の教科書にもやたらとフレンドリーなアメリカ人が登場します。

英会話を習いにいく日本人は、英語を喋れるようになるにはアメリカ人のように毎日明るく楽しくフレンドリーにしなければならないと思っているようです。

一生懸命にアメリカ人風のジェスチャーを身につけ、見るからに根暗でオタクの人が「は～い、あなたは先週末は何をしたのかしら」などと白々しい会話を実に熱心に学ぶのですが、元来がねっとりと暗い日本人なので思いっきり浮いています。

さて、みなさんに教えておきたいのは、アメリカ人はそんなにフレンドリーではないということです。もちろんアメリカ人は初対面の人にも気軽にあいさつをして、まるで長年の友人のようにし生活の話をどんどんしまくり、「あなたの髪型は素敵よね」などと日本人だと親しい友人でもなかなか口に出せないことを言ってしまったりします。

矯正しまくった白い歯をちらりと見せて、レジでも子どもの送り迎えでも常にニコニコしています。ところがいろいろ喋っているように見えてもアメリカ人の会話はかなり表面的です。間違っても、真剣に政治問題を語ったり、食材の調理方法について検討したことを話したり、家の遺産相続の揉め事とかを話したりしては絶対にいけません。

また「週末はジョギングしていたよ」「家族とバーベキューしていたよ」と〝リア充〟生活を送ったと答えるのが前提になっているので、正直に「一日中アニメを観ていた」「離婚訴訟の話をしていた」などと答えてはいけません。

アメリカ人がベラベラと雑談している中身は、あくまで差し障りのないどうでもいい事柄で、しゃべっている内容はどうでもよいのです。そしてニコニコしているからといって相手が自分に対して好意的というわけではないのも要注意です。雑談も笑顔もあくまで社交辞令にすぎません。裏ではボロクソに言っていることがよくあります。

つまりアメリカというのは社交辞令として、常に明るく楽しく延々としゃべって、他人に対してはフレンドリーに振る舞わなければいけない、という同調圧力が強くきついところなのです。

なぜかというとアメリカは開拓地であり、ヨーロッパからさまざまな人が渡ってきて、もともと住んでいたネイティブアメリカンを殴りつけてつくった国であり、周囲は敵だらけです。アメリカに流れてくる人間は貧民とか犯罪者、宗教的過激派、船乗り、海賊など胡散臭い輩《やから》が多く、周りの人間が一体どういう人かわからないのです。

だからなるべくフレンドリーに振る舞って、「自分は隠し事をしていない」という感じで当たり障りのない内容を、「自己開示」という意味でどんどん話すことで「私は危ない人間ではありません」とアピールすることがサバイバルのスキルになったのです。

つまり、この「フレンドリー」というのはアメリカ独自のものなので、アメリカでアメリカの方式を身につけた人がヨーロッパに渡って同じようにコミュニケーションをすると「こいつは頭がおかしい」「胡散臭い」と疑いの目を向けられてしまいます。

ヨーロッパの人々はアメリカの歴史を熟知していて、アメリカ人がいくらフレンドリーになっても、それは本当の意味での「フレンドリー」ではないということもよくご存じなので、最初から彼らをまったく信用していません。なのでアメリカ人に「あなたはビューティフル」「あら素敵なネクタイね」「素晴らしい仕事をしたね！」と言われてもそれはあくまで社交辞令で、マイナス一五〇点ぐらいに割り引いておきましょう。

日本人はいくら頑張ってもアメリカ人にはなれません。寡黙でミステリアスな東洋人とのイメージを貫き通し、コミュ障として生きるのも面倒くさくなくてよいでしょう。

ヨーロッパの家の中がすっきりしている理由

日本人はインテリア雑誌や「Instagram」などを見て、ヨーロッパの人々の家の中がやたらと片づき、オシャレなインテリアになっているのに気がつくと思います。

もちろんセンスが悪い家も存在するのですが、そういう家はもともとインテリア雑誌には登場しないし、ネットでも私生活を垂れ流しません。

ヨーロッパの人々が自分の部屋の中をきれいに整えオシャレにして他人に見せびらかすのには大きな理由があります。それは部屋の中をすっきりさせたインテリアにすることで自分はそれだけの財力とセンスがあるということをマウンティングするためです。

もちろん日本にもそういうマウンティングがあるのですが、その規模と頻度が日本では想像できないほど凄まじいのです。わざわざ家の中を見せるために子どもの同級生の親とか会社の人を家に呼んで、バーベキュー大会とかホームパーティをやるのです。

こういうイベントは社交目的もありますが、基本的に自身の家の中を見せびらかして「あたしはこんなにオシャレ！」「オレはこんなにお金がある」「アンタらより上流」という際限のないマウンティングをおこなうためです。

だからこれを理解していないヨーロッパ在住の日本人が調子に乗って現地の人間をダサいインテリアの家に招き、一生懸命すき焼きや焼き肉を振る舞っておもてなしをするわけです。招待客からすると、食べているものはどうでもよく、見ているものはインテリアのセンスとか家具の値段、そして物件の価格なんです。

そして「ああやっぱり東洋人はダサい」と思いますが「とてもユニークなヘヤですね」とか言って、日本食に対してなんにも手を付けずに帰っていきます。家を見て、この人間とはつきあうべきかどうかということをよく観察しているわけです。

このオシャレ度の審査はイタリアやフランス、スペインだとイギリスやドイツよりもはるかに厳しく、あの家はダサかったと延々とネタにされるので注意が必要です。

さらに家に招待をしないと「あいつは人を家に招き入れないほど小さくてダサい家に住んでいる」という判断をされてしまいます。住んでいる場所に対する評価が日本よりも凄まじく厳しいのです。

さらに、こうやって人を家に招いてマウンティングするのが常態化しているので、何がどこにあるかを把握できるよう常に家の中は整理整頓しておかないと困ったことになります。やってくる客は上の階に足を運んだり寝室まで見ていくので、手グセの悪い子どもが来たりすると家の中のものを盗まれることがあります。

だから家の中のものは整理しておいて、貴重品は鍵がかかる部屋にぶち込んでおく。コレクターズアイテムなどを置いておくと持っていかれてしまうことがあります。

世界を転々として働く人がやたらといる海外

日本では数年前に「デジタルノマド」のコンセプトが若干流行りました。これは働く場所を気にせず世界中さまざまなところでデジタルツールを活用して働くというライフスタイルです。コロナ禍でこれが一般の人にも知られるようになりました。

日本の場合は在宅勤務制度を整えた会社は多いですが、ここ最近は基本的にオフィス勤務へ戻ってしまう会社も少なくありません。デジタルノマドのコンセプトはあくまで多国間という感覚であって、日本では海外での勤務も含めたデジタルノマドを実践している人はほとんどいないという状況ではないでしょうか。

ところがアメリカやヨーロッパの場合はコロナ禍前から在宅勤務を前提として運営している会社も多いです。特にアメリカ、カナダ、イギリスの場合は自営業にはやりやすいということもあり、手に職がある場合はフリーランスになって世界中のさまざまな場所を転々として働きつつ生活するという人が増えています。

特にここ最近すさまじいインフレのアメリカでは、仕事を維持したままでポルトガルやスペインに移住し現地の郊外や田舎で激安の不動産を購入し、アメリカの仕事で得た収入やアメリカの不動産を売却した現金で余裕ある暮らしをする人が出てきています。

イギリスの場合はたまにしか出勤しない人や自営業の人、資産運用で生活している人はけっこう多く、そのなかにはコロナ禍の前からヨーロッパの温暖な地域や北アフリカに住んで、現地の安い不動産や物価の恩恵も受けている、という人もいます。

こういう暮らし方が可能なのは、受け入れ国のほうで柔軟なビザを発行しているという事実があります。ある程度の学歴水準や収入の証明、資産といったものがあれば長期滞在のビザを発行する国がコロナ禍の後も増えてきています。

たとえば最近話題になったのはタイですが、そのほかにもマルタ、クロアチア、ギリシャ、エストニア、ラトビア、ルーマニア、ハンガリー、アイスランドなどヨーロッパの国でもこういったビザを発行しているところがあります。

通常の就労許可は現地の企業などに雇用される必要がある場合がほとんどです。でもデジタルノマドビザの場合は、フリーランス、自営業者、リモートワーカーなどで国外から収入を得ている人でも中長期の滞在用ビザが発行されるのです。

大多数のデジタルノマドは高収入を得ている人々で、総じて教育レベルが高いです。受け入れ国にとっては消費者として歓迎される層で、子どもや家族がいる場合は教育費や住宅などの需要も生まれます。

さらに現在、ＡＩなどの分野は世界的に人材の取り合い状態で、こういうビザを優遇することで世界の優秀な人材に来てもらうことは国内のＩＴ業界への刺激にもなります。やはり対面で交流し、人間関係をつくることが産業の発展には重要だからです。

さらに先ほど述べた長期滞在を認めるビザを発行する国々の顔ぶれを見てハッと気がついた方はいらっしゃるでしょうか。

これらの多くがロシアの脅威にさらされている国々です。そしてこれらの国には日本のように米軍基地があるわけではないので、有事の際に頼れるのは自分の国と同盟国だけです。その際に軍事力や経済力が強い国と〝草の根のネットワーク〟を築いておくことは、たいへん重要になるわけです。

またデジタルノマドビザで滞在している人々は、なんらかの形で海外にその滞在国の情報を発信することになります。高収入で教育レベルも高いので、出身国に対して一定の影響を与えるインフルエンサーであることも少なくありません。

我が国の地理的条件は実はこれらの国よりもはるかに厳しい状況で、安全保障の点では恐ろしく脆弱《ぜいじゃく》なのです。日本政府は、産業発展だけではなく安全保障の観点でもデジタルノマドビザのような施策を実施する時期にきていると考えます。

難民をルワンダに輸送するイギリス政府

日本では左翼の人々が「日本の難民政策は実にひどい」ということを繰り返し述べて

いるのですが、その一方で彼らはなぜかアメリカやオーストラリア、ヨーロッパ各国が実施している難民対策に対してまったく触れません。

私が二〇二一年一二月に出版した前作『世界のニュースを日本人は何も知らない3——大変革期にやりたい放題の海外事情』にも記載しましたが、イギリスは実利主義で合理的な国なので、日本人の感覚からすると政策も過激です。

ここ最近話題になったイギリスの過激な政策は、イギリスに不法入国しようとする難民申請希望者を含む移民をルワンダの収容センターに送るという施策です。当時の首相ボリス・ジョンソンが二〇二二年四月にルワンダ政府と公式に締結しています。

ただしルワンダに送られるのは、公的な書類を持っておらず、戦争難民などではなく「経済難民」として不法入国した疑いが強い「若い男性」です。ウクライナからやってくる難民申請者や女性、子どもなどは対象ではないのです。

イギリスをはじめアメリカの左翼メディアや活動家は、このイギリス政府の決定に対して「非人道的だ」と非難を繰り返しているのですが、その一方で受け入れ国側のルワンダは、このような左翼の発言に対して大いに怒っています。

左翼の言い分とは、「ルワンダは経済的に劣った国であり人権に問題があるので、そのようなところに難民申請をしている人々を送るのはいかがなものか」ということです。ルワンダ政府のスポークスパーソンであるヨランデ・マコロ氏は「ルワンダに行くことを罰だと呼ぶのは単に無礼だ。ルワンダは大いなる発展を遂げた。ここに来て自分の目で見てみるべきです」と述べているのです。

イギリス政府が指摘しているインフレ率の高さや家賃の高騰、難民申請者の収容センターが足りていないという点は事実なので反論のしようがありません。イギリスは一〇年以上前から収容センターの代わりに民間の住宅を借り上げて申請中の人を滞在させたりしています。難民審査は時間がかかるので、その間に滞在させるのです。

その背景にはセンターを建設するのには莫大な費用がかかるし、申請者の数はかなり変動するので先行きが見えない、だから公費を使って投資をするのは費用対効果が悪いという実情があります。移民局の周りには借り上げの家屋やアパートがかなりあり、政府からの支払いを前提にして物件を貸し出している大家もいます。

事実そのような地域に物件を持っていると、管理を担当している不動産業社から「政府に貸し出す気はありますか？」というオファーがあったりします。賃料を着実に払ってもらえるので貸し出しを好む大家さんも少なくありません。

昼間にやっているお宅改造番組でも、生活保護者、難民、公営住宅向けに中古物件を改造して政府に貸し出す案件は今や番組の〝定番〟です。改装費をいくらかけて、どんな感じにすると政府からいくら家賃が入る、というわけです。

難民を発展途上国に捨てるオーストラリア

このような施策をとるのはイギリスが初めてではありません。オーストラリアの場合はなんと二〇一二年から南太平洋にあるナウルの収容センターにおいてオーストラリアへ違法に入国しようとする移民を搬送し収容を「外注」しています。

さらにオーストラリアはパプアニューギニアにも不法移民の収容を外注していました。長い人の場合は八年も収容されていたのです。センターには厳しいセキュリティと頑丈な金網が張り巡らされ、日本の出入国在留管理局の施設に比べると見るからに「収容所」

という感じです。

この件は「人権侵害ではないか」とオーストラリアでは何回も取り上げられています。とはいえ国内でも他の先進国でも支持はあまり大きくはありません。

特にヨーロッパでは注目度が低いです。どこの国も海や陸路で国境を越えてくる難民や経済移民の処遇に頭を悩ませているからです。シリア戦争以後その数は急増しており、さらにはロシアのウクライナ侵攻でも増加しました。

なぜか日本のメディアにはあまり登場しないのですが、アメリカの不法移民収容所も日本の収容施設に比べると驚くようなもので、金網で囲ったエリアに子どもや女性を収容しています。日本のメディアは他の先進国のこのような施策の実態をなぜかあまり報道せず、自国での外国人収容の状況について「ひどい、ひどい！」と大騒ぎするばかりですが、もう少し客観的に海外の実情も見てみるべきでしょうね。

第4章　世界の「日本愛」を日本人は何も知らない

日本の中古空き家は外国人にとって宝の山

日本ではこのところ空き家問題が大問題になっていますね。高度成長期に大量に建てられた住宅や別荘が所有者の高齢化や死去により空き家になってしまっています。

特にこれは私のような四〇代の氷河期世代の人間にとってはたいへん頭の痛い問題でして、バブルの頃にサラリーマンだった親が長野県や山梨県、伊豆や箱根などに別荘を買ってしまい、その維持管理と処分に苦労している方がかなりおります。

私の周囲でも親が温泉付きの別荘や、建築許可や取り壊しの許可が簡単にはおりない別荘を購入した人がいました。しかしながら購入時の価格で転売に応じてくれる人などおりませんので、その数分の一の価格で泣く泣く手放したという例がけっこうあります。

手放せればまだマシなほうで、まったく買い手がおらず、しかも別荘があるのは八ヶ岳の麓《ふもと》とか伊豆の奥など行くのがかなり大変な場所ばかりです。仕事や子育てもあるのでいちいち掃除やメンテナンスのために通うこともできません。

とはいえ空き家にして放置しておけば家屋はどんどん朽ちていくし、放火されたり動物が中に入ってしまったりとかなり厄介です。管理業者にメンテナンスや見回りを外注している方もおりますが、それも毎月毎月お金がかかってかなり大変です。

こういった別荘も頭の痛い問題ですが、バブル期に通勤するにはかなり不便な郊外に家を買ってしまった方の子ども世代もかなり苦労しています。なんとかマイホームが欲しいということでかなり無理をして昭和の時代、通勤に一時間半とか二時間もかかるところに家を買ってしまった親御さんも少なくありません。

粗雑な造りで三〇年から四〇年以上経過した現在では雨漏りや床が抜けるという悲惨な状況です。修理をするのにも一回に一〇〇万円以上の出費がかかります。親は高齢になって介護の費用がかかり、子どもの教育費もバカにならず、頭の痛い問題です。

都内に通勤するのには遠すぎるし、家も古くなり、バブルの頃の流行りを取り入れてカスタマイズしてあるような家だと使い勝手もたいへん悪かったりします。

さて、このような悩みのタネとなる日本の別荘や住宅ですが、実は他の国の外国人からすると〝宝の山〟のようなものです。こういった別荘や郊外にある注文住宅で日本人の買い手がつかない物件は、昔風の日本家屋だとか畳の部屋ばかりの家です。

入り口には松が植えてあり、屋根瓦は昔ながらのものでスレート葺《ぶ》きではありません。庭には池があり浮き草が浮いていて、竹垣があったり灯篭があったりもします。日本の若い人だと思いっきり嫌がるタイプの古い家ですね。

ところが他の先進国の人にとってはこういった家が魅力的に映る物件なのです。このような様式の住宅は海外にはありません。

木で造られた引き戸など、西洋の世界ではそういったドアが玄関についていることはまずありません。治安が悪すぎて、そんなドアだと一発で破られて強盗が入ってきてしまうからです。中世以前の時代からそのようなドアがないのです。

そして玄関に入ると靴を脱ぐところが低くなっていて、一段高いところから家に入るようになっています。こういったものも西洋の世界にはありません。玄関にはちゃんと靴を入れる靴箱がある。お客様を迎えるために花を生けるスペースもある。玄関からして家にいらっしゃる方のことを考えてあるわけですね。

家の中に入ると木で造った廊下があり、ところどころギシギシと音がし何十年もかかって磨き上げられた艶があります。昔の木で建築したものなので新築の住宅にはない味わいがあります。各部屋の柱もたいへん渋く、味のあるものです。

こういった古い家の伝統的な和室は京壁で昔の左官屋さんが丁寧に仕事したもので、西洋の住宅とはかなり異なります。日本の伝統家屋の壁は繊細に造られているのです。

これは実際にヨーロッパやアメリカに行って古い建物を見たことがある方であればよくわかるかと思います。欧米では漆喰の壁があっても塗りが雑で細かいところは荒々しい仕上げなのです。その点、日本の壁は日本の気候に合わせて湿気を吸ったり出したりするようにうまく調整ができるのです。

日本人は古民家の活用をもっとすればよい

そういった和室には伝統的なデザインの電灯、床の間、雪見障子、掘りゴタツ、仏壇を置く場所、押入れ……等々、これまた西洋の世界にはまったく存在しないものが広がっています。手作業で丁寧につくられた一つひとつのものがほどよく調和するように、よく考えられているのです。

畳の床は、夏は涼しく冬は暖かく、掃除もほうき一本で済むので実にエコロジーです。そして新しいものに取り替える場合も天然のもので造られているので、簡単に自然へと還ります。これも西洋の世界からするとたいへん驚くべきことなのです。

このような古い家や家具、さまざまな室内の装飾というのは二度と同じものをつくることができません。かつて使われていた木材や素材は、今では手に入りにくくなっています。数十年前の作業が可能だった職人さんはもう存在していません。

少なからぬ住宅メーカーは訓練期間が短い人でも家を建てられるように、プレハブ式の住宅を主体に販売しています。昭和のころの注文住宅をつくる人はどんどん減っています。古い形式の住宅を求めるお客さんが減っているので作業する人も徐々にいなくなっているのです。だから逆にこういった住宅の希少性はますます高まっていくのです。

日本の郊外にある空き家や別荘は、西洋の人々が小津安二郎や黒澤明の映画とか『座頭市』のなかで観た世界がそのまま残っている。つまり歴史が大切に保存されているのです。かつての日本人の生活様式や考え方が建物で残されているのでしょう。

そのような素晴らしい和室や伝統的な庭のある家屋が、日本ではなんと底地《そこち》の所有権付きで手に入るのです。場合によってはタダ同然の値段で、首都圏に近い場所であっても数百万円で売られています。

他の国では土地の利用権はリースホールドといって、期間を定めた借地権も少なくありません。完全な所有権付きだと値段がぐっと上がります。だから日本ではこういった住宅が土地の所有権が付いて激安なので本当に驚かれるのです。これを見て日本の伝統的な文化や歴史を愛する人々は、なんとも悲しくなってしまいます。

日本人はこういった先祖たちが建てた家を大事にせず、買おうという人も直そうという人もあまりいません。その家の伝統的な素晴らしさには目もくれず、利便性や新しさに注目してしまう。しかも東京まで電車で二時間もかからないような場所にもそんな古民家が溢れているのです。

これを欧米の基準で考えたらビックリするような距離です。電車やバスも激安で通勤も毎日でなければ不可能ではない。車も不要な立地だったりします。

そういった貴重な家屋をどんどん破壊して、化学的な素材で造られ一〇年か二〇年ぐらいしか持たないゴミのような家を建ててしまいます。日本人は仕事が多忙で通勤に便利な場所でなければ生活が困るということも理解していますが、それではなぜリモートワークが盛んになる現在、そういった仕事を探して転職し、郊外のこういった伝統的な素晴らしい住宅に住んで生活の質を上げないのかと疑問に思うのです。

なぜならアメリカやヨーロッパの北部では、仕事を選ぶ場合にもちろんステータスやお金のことも考慮しますが、まずは生活の質や自分がやりたいことを考えます。

生活の質を左右するのが住む場所や家屋です。ある程度の広さがあって自分好みの景観や自然がある場所を好む人が少なくありません。いくら便利だからといって大都市のマンションに住んで毎日毎日通勤をするのが最高だと思う人は多くはないはずです。

ところがなぜか豊かなはずの日本では、そういった働きバチのような生活が良いと思っている人がまだまだ多いのではないでしょうか。

そして親から受け継いだ古い家をタダ同然で他人に譲るとか、手入れしないで放置してしまいます。日本の空き家問題が解決しないのは働き方の問題もありますが、日本人の価値観自体が高度成長期時代から変わっていないというのがあるのでしょう。

日本は自然が多様で怪鳥が飛び交う謎の熱帯島

二〇二二年の夏、私は家人と息子を連れてコロナ禍になってから初めて日本に帰ることができました。私と大学の研究者である家人は基本的に家で仕事をしていますので、大学で授業がない期間、仕事をする場所はどこでも自由です。だから日本に行くと数週間から二カ月ほど滞在しますが、今年は夏休み中滞在していました。

ただし家人はイギリス生まれのイギリス育ち、息子は日本とイギリスを行き来しています。だから日本で生まれ育った私とは、日本に対して感じることや視点がまったく異なり大いに刺激を受けます。

このような家人と息子がいると、私は、日本人が日本の自然の多様さや豊かさについてほとんど気がついていないことを再認識させられます。

たとえば、その典型のひとつは日本の海の豊かさです。

私は家人と息子を連れて神奈川県にある水族館をいくつか回りました。神奈川県は海があることも影響しているのか水族館が複数あります。家人がそれらの展示を見ていて度肝を抜かれたのが魚の種類の多さと見たことがないような色や形の不思議な海の生き物でした。相模湾はたいへん海が深く、巨大なカニや深海魚が大量にいます。

ヨーロッパは海がない国もあって、海がある国でも北のほうはそれほど多く海の生き物がいるわけではありません。水が冷たいうえに、日本のようにさまざまな海流がおしよせる海域がないし、火山もあまりないので海岸線もゆったりとしています。海の深さにも日本列島の近海ほどのバラエティさがないのです。

南下してスペインやイタリア、ギリシャのほうに向かっても日本ほどには海の生き物が多様ではないです。みなさんがテレビや雑誌で見る動画や写真の地中海はたいへん綺麗ですが、日本の海に比べると魚はあまりいません。

昆布やワカメなどが大量に生えているわけでもなく、地形もそれほど多様性に富んでおらず、日本人の感覚だとちょっと退屈な感じがします。

そのような環境を反映しているのか、ヨーロッパにある水族館は日本の水族館に比べると見学してもおそろしくつまらないです。水の生き物がたくさんいるはずのスペインの水族館もかなり微妙だし、ポルトガルに至ってはスタッフのやる気がありません。

そしてイギリスの水族館は展示するものがあまりにもないので、アマゾンの魚などを見世物にしていますが、入館料が高額なわりに展示内容はお粗末で、日本の地方のほうで役所が運営している水族館以下です。

ところが日本は神奈川県だけでもひとつの水族館でさまざまな魚がいるし、海の魚だけではなく川の魚も展示してある水族館もあります。川の魚も実にさまざまな種類がおり、ヨーロッパでは見かけないような巨大な淡水魚もいたりします。

こういった巨大な生き物を見ていると、やはり日本というのは熱帯に近い地域なのです。ところが北方からの海流も入り込んでいますから、そこに大いなる多様性があり、雑多な海の生き物の世界が形成されています。

したがって東京湾近海でも、ヨーロッパの人々からすると驚くようなおもしろさのあるダイビングスポットが多数あります。ところが日本の人々は「陽に焼けるのが嫌だ」と言って昔ほどは海には行きません。ヨットを所有する人や毎週のようにダイビングに出かける人は少数派です。海や川という〝生きた水族館〟が目の前にあるのに、なぜみなさん行こうとしないのか――。

日本の自然環境は多様性に富んでおり海だけに限りません。

日本は欧米の人からすると、喉から手が出るほどに欲しくなる景観や自然に溢れています。そのひとつがさまざまな山の豊富さです。

日本のようにいろいろな山がある国というのは多くありません。ヨーロッパの場合、日本並みの山岳地帯をめざすにはスイスやオーストリア、イタリア、フランスに行かねばなりません。スコットランドやアイルランド、イングランドなどの場合は平らなところが多く、山どころか丘もほとんどありません。

フランスやイタリア、ドイツ、スペインは比較的、平らなところが多いです。日本だったら東京からでもちょっと行けば山があるのに、これらの国々ではそういった景観はかなり遠くに行かなければ見ることができません。東欧のほうも平らな感じの国が多いのです。

もっと南下してギリシャに向かうと、火山島は日本の山のように高いものはないし、どこの島も景観が似ています。乾燥しているので木もあまりなく紅葉とは無縁です。

日本では東京から一時間もかからないような場所にハイキングや登山ができる場所が

あり、もうちょっと足を延ばせば雪山があり富士山もあります。スイスよりもはるかにハードな登山が可能です。そして四国に行けば山が連なる驚くような曲がりくねった道がある。木曽路には深い森があり、鹿児島県に行けば現在も噴火している火山がある。実に日本の山は驚くべき環境なのです。

これらのすべてがカリフォルニア州程度の広さの国土に詰まっていて、高速道路や新幹線などの交通網が発達しているので、他の国に比べると二分の一の費用で富裕層しか体験できないような自然の驚異に触れることができるのです。

しかも日本の山の多くは高額な入山料を取りません。これは他の国の感覚からすると驚くべきことです。しかしお金を徴収しないのにハイキングや登山道は綺麗に整備されていて、山小屋があるところもけっこう多いです。

そしてこの山小屋の使用料はかなり格安で、欧米の感覚からするとこれまた驚くべきことです。

欧米は日本よりもはるかに階級格差があり貧富の差もすごいので、日本並みの自然を楽しむのにはたいへんなお金がかかるのです。

そういった高い費用をかけなくても火山やさまざまな登山道を楽しむことができる日本は、ある意味、欧米よりもはるかに平等で民主的な国なのです。

ところが日本人はどれだけ恵まれた環境にあるのかということを実感していないので、特に最近では登山やハイキングよりもショッピングモールに行くことを好む人が増えています。すぐ近くに素晴らしいものがあるのに実にもったいないですね。

家人はこのような日本の素晴らしい環境のことをずいぶん下調べしており、NHKの国際放送やさまざまな書籍で知識を仕入れ、訪問する計画も考えていたのです。ところが日本の夏の暑さが想像以上で、玄関から外に一歩出るともう一〇メートルも歩けない状態だったので夏の間の移動は断念しました。たしかに日本の気温を見てみるとインドのデリーや中東の一部と変わらないレベルでしたので仕方がありませんね。

サービスエリアが超高級グルメ御殿

外国人と日本国内を移動していて、たいへん驚かれるのが高速道路です。

まず高速道路に乗る前の時点ですが、車が動き出すと「ＥＴＣが挿入されました」と車に装備されている機械が喋ります。

ＥＴＣカードのような物がある国がないわけではないのですが、読み取り用の機械からいちいち人間の声が出るのはすごくめずらしいです。日本だとそれがアニメの声優さんの声になっていて「タッチ」の南ちゃんの声だったりする。すると外国人はいったいこれは何を命令しているのかということで思いっきりビビってしまいます。

そして日本に滞在している間に外国人は「ＥＴＣが挿入されました」というフレーズを完璧に復唱できるようになる。車で移動すると何回も聞くことになるからです。そして高速道路に入ると驚くべきことに細かく料金が加算されていく。一回の料金は四〇〇円とか六〇〇円ですが、積み重なっていくと決して安い料金ではありません。

もちろん他の先進国でもトールウェイといって有料の高速道路はあるのですが、しかしそれは国全体というわけではなく、ごく一部の地域でのことが多いです。また高速道路料金が有料である国でも、車がその国の高速道路を走る前に料金を一括で払ってしまってステッカーを車に貼ることで区間ごとの課金はありません、という場合もあります。

イギリスの場合はほとんどの高速道路は無料です。料金所がないし、ＥＴＣカードのようなものもありません。車がロンドンに入る場合はロンドン市内を通行する料金は払いますが、先にお金をネットで払っておけば監視カメラがナンバープレートを自動的に読み取って承認するのでＥＴＣカードのような仕組みが必要ないわけです。

ですからハイテクなはずの日本でなぜカードを差し入れして細かく料金を徴収されるのか、意味がわからないと言っている外国人は少なくありません。

さらに驚くのは高速道路のサービスエリアです。日本のサービスエリアはかなり地方のほうでも近代的で、飲食やサービス、物販にたいへんな力を入れています。

トイレは数が多く、どこも清潔で温水洗浄便座が当たり前のように設置されています。最近では高速道路のトイレには「現在、◯人が順番待ちしています」という表示が出るものまであります。外には自動販売機やその地域独自の屋台が出ていたりして建物の外もたいへん華やかです。

中に入ればその地域の特産物やお土産品が、目が回るような種類・量で大量に陳列され、対面販売も実に盛んです。どの食品も趣向を凝らし、ありとあらゆる需要に応えるようになっています。家人も息子も日本のサービスエリアに来るとあまりにもたくさんのものが売っており、食べるものも種類が多いので、いったい何を買ったり食べたりすればいいかわからないと、呆然と立ち尽くしてしまいます。

そしてさらに圧倒されているのが日本人のパワーにです。車で長距離を移動しているにもかかわらず、どの人もかなり熱心に地域の特産物やお土産を大量に買う。さまざまな種類のラーメンから好みのものを選び出し、対面販売があればいろんなものを熱心に試食しています。消費意欲も旺盛で、とにかくいろいろなものを買っているのです。

このようなサービスエリアはヨーロッパの感覚からすると、ロンドンやパリにある超高級デパートをさらにグレードアップしたものがサービスエリアの中に一括で入ったようなものです。なにしろヨーロッパのサービスエリアはどこもたいへん酷いところが多く、日本で昭和四〇年代にあったものの以下のところが多いのです。

イタリアの場合は、食べ物は売っていても硬くて噛むのが厄介なパニーノぐらいだったりするし、チョロっとバール（軽食店）があるだけという場合もあります。

イギリスの場合はさらに悲惨で、ロンドンから北のほうに行く最も主要な高速道路に乗っても各サービスエリアの間隔はかなり長いです。空いていると思っていたサービスエリアに入ってみると、なんとほぼ廃墟状態のレストランにホコリだらけのカフェが一軒しかなくトイレの便器は割れており、入り口は太い鎖で鍵がかかっていたりします。しかし休息するところがほかにないので仕方なく利用するのです。

日本のサービスエリアはまるでディズニーランド

ロンドン北部ではこうしたとんでもないサービスエリアが少なくありません。だからガソリンスタンドに併設されている売店で、なんとかマヨネーズだらけのすごくまずいサンドイッチを買い、同時にダイエットコーラも買って、それを車の中でひっそりと体の中に流し込む。もちろん売店内は照明が暗くどんよりしています。

こういうガソリンスタンドでは、車に給油をする際は相当気をつけなければダメです。周囲に人があまりおらず他の客はどんな人かわからないので、給油している間に強盗されるとか因縁をつけられて殴り合いになることがあるからです。

トイレも危険な場合があるので必ず同行者に外で監視してもらっておかなければダメです。とにかくさっさと給油し逃げるようにその場を去るのがグッドアンサーです。

運よくトラッカー向けの小屋を改造した食堂があるところだと、トーストにベイクドビーンズをぶっかけたもの、焼いたソーセージとベーコンと卵、マッシュポテト、紅茶、ベイクドポテトぐらいはあります。ただしベイクドビーンズは、カウンターの中の容器に入っていて表面が乾いているのでいつ缶詰を開けたのかよくわかりません。

そういう食堂には人生に迷っている人のために無料の聖書が置いてあります。そして食堂の前は舗装されておらず、雨が降ると靴がドロドロになるのです。だからイギリスで高速道路を使って移動するときは長靴が必須です。昭和三〇年代の北海道の田舎を想像するとよろしいでしょう。

もうちょっと大きめのサービスエリアに入っても、食べるものはマクドナルドかその他のファストフードしかなく、どこの地域でも同じようなものです。床もトイレもドロドロで店員もやる気がまったくありません。

そして売店は品切れが続出で地域の特産品などは一切ない。だいたい特産品を買うような客はおらず、お金もなく、開発しようとする企業もないからです。もともと貧困な土地だらけなので特産品にするような食料もないのです。

お客さんを喜ばせるものといえば、日本の基準だと三〇年ぐらい前のボロボロのアーケードゲームに、ギラギラと光るスロットマシンで、そういうところにいる人はプリン頭で歯が抜けていたりします。

イギリスのサービスエリアでは他のお客と目を合わせるのは危険です。それがきっかけでカツアゲや乱闘も発生するからです。とにかく不特定多数とはかかわらず、地味に目立たないようにするのがポイントです。とはいえ、ここで気を抜いてはいけません。高速道路に車を停めているとトランクやドアをこじ開けられて物品を盗まれる可能性が非常に高いので、車内には誰かが残っていたほうが安全です。

どうしても車から離れなければならないときは、荷物はすべてトランクに置き貴重品は身につけておきましょう。そして車のハンドルには頑丈なハンドルロックをつけます。それでも安心できませんので、「Apple」の「AirTag」やGPSの追跡デバイスを車に仕込んでおきます。サービスエリアで車の盗難は、まったくめずらしくないのです。

だからハンバーガーとポテトをコーラで流し込んで、燃料を補給したら即その場を離れるのがサービスエリアの正しい使い方です。

このような〝修羅の国〟状態のサービスエリアからすると、日本のサービスエリアはまるでディズニーランドが日常生活の中にあるようです。車の旅がそれだけでも楽しくなります。でも日本人はあまり休暇がとれないので出かけることができないです。

イギリスやヨーロッパ大陸の場合、休暇はたくさん取れるのですが、とにかくインフラやサービスがあまりにもヒドイ！

でも自力でなんとかする場合は楽しい休暇を過ごせますよ。

ポテトチップスから読み取れる日本の強さと弱さ

家人は経営学者なので日本のありとあらゆることを経営学者的な視点で分析をしています。今回、日本に滞在して家人が最も学術的に興味を持ったのが、コンビニ、ドン・キホーテ、スシローです。

私の行動範囲は〝神奈川県ヤンキー標準〟であり、どうしてもこういった標準に合う店に行くことが多くなってしまいます。とはいえ東京のおしゃれショップに比べるとけっこうおもしろいことが多いので、家人ともども観察対象としては素晴らしいことです。そして、なにより家人はドケチなイギリス人なので、お財布に優しいというのもたいへんポイントが高いのでしょう。

家人は日本に来るたびにコンビニへ入り浸っているのですが、今回はここ最近コロナ禍が続いていて久々に日本へ来たということもあります。そこで度肝を抜かれたのが、コンビニでポテトチップス（ポテチ）の品揃えが豊富になって、アイテム数がかつてよりも増えていたということです。

ポテチの限定品や特殊なフレーバーが棚にぎっしりと並んでいます。ところが以前に食べていた塩味の普通のものがないのです。店舗を回ればあるところもあり、イギリスやヨーロッパの他の国であれば塩味やバーベキュー味など昔からの定番品がドカーンとおいてあるのが、日本のコンビニだとそんな古いものはつまらないという様子で片隅に追いやられています。

限定品とはいっても値段はかなり安く、家人はありとあらゆるフレーバーを試しはじめましたが、どれも食べはじめるとまるで手が止まらないというのです。イギリスやヨーロッパ大陸のポテチは食べ飽きており、まったく食指が動きません。

ところが日本では、ほぼ毎日数種類のポテチを食べて「こんなうまいのは食べたことがない！」と感動しているのです。

おもしろいと思ったのが、特にカルビーと湖池屋は良いじゃがいもを使っており、イギリスで四〇年以上前に食べた品質の高かった昔ながらのポテチの味がするというのです。そしてフレーバーは実にさまざまなものがあり、天然の塩を使ったものや梅のフレーバー、バター味など本当にありとあらゆるものがあります。

このさまざまな種類があるというのも家人的には驚くべきことでした。多種多様な商品を売るのには、それだけ多く開発しなければならない、パッケージや生産ラインも変更する必要があります。そういった新商品開発には多大なコストがかかるので、従来のものを淡々と売っていたほうが企業としては楽なのです。

ところが日本は多種多様な品種を次々に作り出して、期間限定でコンビニのような店に並べることができている。しかも値段はけっこう安いのです。

そのためにはコストを削減しなければなりません。開発コストやパッケージデザインのコストはある程度決まっているので、削るところはどこになるかというと運営コストや製造コストそして人件費などです。もちろん配送の効率化も必要でしょう。

企業としてはコストを削って利益を高めていかなければならないので、どこかを削らざるを得ないのです。ところが日本の消費者は商品の品質に対してたいへん厳しく、昔ながらの同じものを提供していてはなかなか買ってくれません。

だから企業としては無理をしても次々に新しい製品や多種多様なものを出していかなければならない。これが日本で消費者向けのビジネスをやる点でたいへん難しいところです。しかも値段を上げると日本の消費者は買う気がそがれてしまうので、他の国のように値段を吊り上げていくということもできないのです。

企業としては一定の間隔で新製品を市場に出さねばならない。しかし利益率を上げるのは簡単ではない。コストを削りまくって従業員の待遇は上げられない。結果、低賃金の派遣社員や契約社員に我慢してもらうだけでなく、正規社員の給料も上げられないという構図になってしまうのです。

日本の消費社会を反映するドンキとスシロー

このような状況下で限界に挑戦しているのがドン・キホーテ（ドンキ）です。かつてドンキは一時期〝ヤンキー御用達〟みたいな感じの店でした。ところが現在はファミリー向けに業態を変えつつあり、郊外のスーパーなどを居抜きで譲り受けて食品などの販売にも力を入れています。

大量仕入れを基本とし、他社の過剰在庫を買い取り、現場に権限を移譲して柔軟性をもたせ、地域性を反映した品揃えを展開して売り上げも好調です。家人はこのビジネスモデルのうまさにたいへん感心していました。ここまで地域性を徹底させている小売店はイギリスにはなかなかないからです。

また過剰在庫といっても日本の商品は新しいものが多く、消費期限がかなり先であっても一般的なスーパーは売り場から撤去してしまいます。ドンキはそれを廉価で大量に買い取り、安値で大量販売しているのです。

とはいえ、そういう商品ばかりではなく市場をよく研究し商品開発されているため、ユニークでおもしろく質の高いものも多いのです。これも日本の消費社会における豊かさの反映であり、現在の日本を象徴しているといえましょう。

そしてもうひとつ、日本に帰ると必ず向かうのは回転寿司のスシローであり、わが家はスシローの常連でもあります。子どもがボタンを押して注文するのをおもしろがるので行くわけですが、値段が驚くほど安いのも助かります。

なにせヨーロッパだと一皿八〇〇円はする握り寿司二貫が一二〇円から三九〇円です。これを二〇二二年一一月の為替で計算すると、英ポンドだと一皿七二ペンスから二・三ポンドです。つまり日本で食べたら六分の一から二分の一程度の値段でお寿司が食べられます。サイドメニューも一八〇円とか三〇〇円で、これまたありえない安さです。

デザートに至っては、ヨーロッパであればレストランで一品一〇〇〇円ほどするレベルのパフェが三三〇円です。つまり三分の一の値段です。このような安さが、日本に外国人旅行者が押し寄せる理由の一因です。

このスシローと同じように、東京都心のホテルでも一泊八〇〇〇円とか一万円程度というう格安のところがあります。アメリカやヨーロッパの人たちは「本当にこの値段なのか？　予約サイトが壊れてるんじゃないの？」というほどです。他の国であれば似たような立地なら二万円から四万円の宿泊料金だからです。

スシローの安さには徹底的な経営の合理化や仕入れの工夫がありますが、やはりここまで安いのには「日本の消費者は値段が高いものにはお金を出せない」という事情があります。つまり職場で十分な報酬を得られていない、ようするに給料が安い、ということが背景にあります。このように物の値段がどんどん下がってしまうのは、企業が妥当な報酬を支払わないからです。

イギリスをはじめとするヨーロッパ、アメリカ、オセアニアの先進国は、働く人の給料が上がっているので物の値段も上昇します。それが反映されるので、外食は日本より遥かに割高です。なぜ給料が上がるかというと、給料を上げなければ人が来ないし、期待に見合う働きをしてもらえないからです。

また労働組合がある場合や業界標準の報酬がある程度決まっている場合は、働く側が報酬を上げる交渉をしたり、標準以下では働きませんと抵抗したりします。ところが日本ではこれが起きていません。多くの人が安い報酬でも働いてしまうからです。

したがって日本の働く人々が昇給の交渉をして、「安い賃金では働きませんよ」と毅然たる対処をすることで給料が上がると、スシローの寿司が一皿四〇〇円とか五〇〇円になる可能性もあるわけです。

スシローには値段のほかにも日本社会を凝縮しているところがあります。それは運営の徹底的な機械化です。ところがその機械化があまりにも複雑すぎて、むしろ非効率になっている点もあるのです。

第5章　日本人は「ロシア」のことを何も知らない

ヨーロッパにとってのロシアの立ち位置

ロシアはソ連崩壊により経済的な窓口を外に開き、ここ三〇年の間、経済活動を活発におこなってきました。西側諸国はロシアの資源に頼り、ロシアは西側諸国の機械や部品、医薬品などにどっぷりと依存してきたのです。

西側に比べて技術開発力に包括性がないロシアは工作機械やハイエンドな兵器などに必要な部品を自国で製造することができませんから西側との交易は必須なのです。さらに医薬品も海外から輸入しなければならないものがかなりあります。

ロシアの科学技術政策は原子力方面に偏っているので、民生品に関しては実はあまり発達していないのです。だから戦争などしてしまえばロシア経済は停滞するのが当たり前だし、国民生活にもかなりの影響が出ることはわかりきっていました。理論的に考えたら、いま戦争に突入するのはまさに愚行なのです。

ところがロシアはこの理論を無視して、いきなり戦争を始めてしまった。これが国民の総意ではないとしてもプーチンやその周辺の人々は戦争をやると決めたわけだから、彼らにはなんらかの意図があったわけです。ところが西側をはじめイギリスにとってはまったくこの理論がない意思決定が理解できないのです。

ここ三〇年の間に〝西洋化〟されたと思っていたロシアが、第一次世界大戦以前の「粗野で野蛮なロシア」と変わっていないことに愕然とし大変な衝撃を受けているのです。

ロシアは、ヨーロッパやアメリカから見てあくまでも「ロシア」であって、「ヨーロッパ」ではない。「我々の文明とは違う粗野で得体のしれぬ残虐さを持った土地」という意識です。

だからアメリカもヨーロッパも、ロシアの文学作品や音楽、食に対してはかなり異なる態度をとります。「われわれより一段劣る」という感覚です。これは日本人にはかなりわかりづらいと思います。

また普段の生活でも、地理的にヨーロッパ側に住むロシア人は日本人から見ると白人ですが、アメリカやヨーロッパ西側では「われわれの仲間」という扱いはされません。見た目が東洋系やイスラム系のロシア人は完全に途上国の人扱いされてしまいます。ロシア人は西側ではずっとこのような扱いをされてきたので、常に劣等感に悩まされています。

いっぽうで彼らは劣等感の裏返しでたいへんプライドが高いので西側のこのような態度が許せない。なにせロシアの食文化などはフランスの宮廷文化の影響を受けているし、近代においてはロシアの貴族や上流階級はフランス語で会話したほどです。

ソ連時代も知識階級はフランスやドイツの哲学や文学に親しみ、日本では想像できないレベルでヨーロッパの一員的な意識を持っていました。当然ながら西側に対する憧れはすごく、ロシア人はヨーロッパやアメリカの文化や物が大好きで、プーチン以下ロシアの高官からしてヨーロッパの超高級ブランド品を好んでいます。

地中海にヨットや別荘を持ちたがり、子どもたちをスイス、イギリス、アメリカの超高級寄宿舎のある学校や大学に送り込みます。子どもや妻たちが住んでいるのは、スイス、フランス、イギリスなどです。アメリカやカナダではなくヨーロッパです。

ロシア愛国主義のはずなのに、自分の身の回りの品は西側製、身内すら住むのは西側のヨーロッパなのです。彼らがどれだけヨーロッパが好きかよくわかりますね。

アメリカやイギリスをはじめヨーロッパは、ロシアや中国のような共産主義の国々や発展途上国というのも、西側のような経済的な恩恵を受ければ徐々に近代化され民主主義の国になると信じてきました。

それらの国は、彼らを民主化するために多大な資金を投じ、さまざまなロビー活動を展開し民間交流を高め、留学生を寛大に受け入れ、経済的な発展を助けてきたのです。

そのなかでもかなりマシなほうだと思われているロシアがこの状態なので、われわれのここ数十年の努力は一体何だったのかと愕然となるのが当たり前です。彼らの頭の中には日本や台湾、韓国、シンガポールの成功例があるからこそ衝撃が大きいのです。

なぜロシアは日本のように民主化されないのか？

なぜロシアは韓国のように電化製品を生み出せないのか？

なぜロシアは台湾のように半導体を生み出せないのか？

アメリカ、イギリスなどヨーロッパは、これまでの努力、外交、平和の理論がすべて破壊されたように感じています。日本は「民主化」される側なので、欧米の受けた衝撃は伝わりにくいと思います。だからウクライナ戦争開戦当初も今もイギリスだけではなく、ヨーロッパとアメリカ、カナダは世界秩序が崩壊したぐらいの衝撃で今回の戦争を捉えているのです。

　ロシアは完全に正気ではなく理論がないので、他の東欧諸国に侵攻する可能性が高いし、陸つづきだから一旦ポーランドやエストニア、フィンランドにロシアがやってきたら、フランスやドイツを簡単に攻撃できる。そうなったら本当に第三次世界大戦です。

　これがボスニア紛争のときと、今回のウクライナ戦争に対する欧米の反応がまったく異なる理由です。ボスニア紛争はあくまで民族紛争であり侵略や拡大の意図がなかったので、西側への攻撃が想定されていませんでした。ところが今回はまったく違うのです。

　そしてヨーロッパの産業のエンジンといわれているドイツは、エネルギーの多くをロシアに依存しています。ロシアからエネルギーを得られなくなるとドイツの産業は止まりますので、これも大きな脅威です。

ほんとうは多人種国家のロシア

　ロシアのウクライナ侵攻に関し、日本人にはピンと来ないと思われることのひとつは、ウクライナに投入された兵士の多くがアジア系だということではないでしょうか。

ロシアといっても日本人が想像するのは金髪碧眼のロシア人だと思いますが、ロシアは日本人が思う以上に広大な場所で、ヨーロッパ寄りの地域だけではなくシベリアから南部の暖かい地域までを網羅し、ソ連時代は現在独立国になっている中央アジアやウクライナまでも含んだためさらに広かったのです。

さまざまな共和国が独立した今でも広い国であり、これだけ広い地域にまたがるので、その土地に住んでいる人々もまた多様です。今回ウクライナで報告されている残虐の限りを尽くす「ヤバいロシア兵」が、どう見ても見た目がアジア系の人々だったりすることに驚いた方も多いのではないでしょうか。

ロシアのアジア系やイスラム系の人種的少数派は人口の約二〇％ですが、イギリスの民放テレビ局ＩＴＶの報道によれば、なんと今回のウクライナ戦争では戦死者の三〇％、負傷者の五〇％を人種的少数派が占めているといわれています。

兵士の多くは正規の兵士ではなく、徴兵され超短期で訓練された素人同然の兵士であり、イスラム系がほとんどであるロシア南部ダゲスタン共和国出身やモンゴル系の多いブリヤート出身の若者が多いのです。

共産主義の建前としてソ連では、人種的な差別がないことになっていたわけですが、実は強制移住や異人種間結婚の推奨で、ソ連では人種の混血や多民族の混在が進められていたんです。共産主義の「理論」によると、共産主義が達成された社会は、人種や性別による差別がないことになっています。したがって混血を推進することにより「完全なるソ連人」になることが推奨されました。

実は私のアメリカ留学時代の同級生や友人は、少なからずこのような「政策的混血」により生まれた「ソ連人」の子孫です。両親やお祖父さんお祖母さんの世代が、ソ連域内のエリアから、遥か遠くへ「強制的」に移住させられ、有利な条件を提示されて引っ越し、現地で配偶者に出会って結婚しているのです。しかし、その後離婚したケースも多いようです。

彼らは「文化的」にはロシア人で、ロシア語が母語でロシアの文化で育っていますが、両親はタタール人、ユダヤ人、ジョージア人、朝鮮人、カザフ人、タジク人、ウズベク人、ラトビア人など、さまざまな民族の混血です。ところがこの徴兵の例が示すように、ロシアにはけっこう差別があるのです。前述の私の同級生たちや友人たちも「ロシア周辺国」や「ヨーロッパ寄りではないロシア」ではあまり差別はされません。

ところがモスクワやサンクトペテルブルグに行くと少数派扱いされて、ひどい場合は警察に職務質問され、就職などで苦労します。もちろん現在は昔ほどひどくはなかったりしますが、それでも不利になることがあります。だからアメリカやカナダ、オーストラリアなどに移住。そのほうが「外国人」として生きることになっても、自分の技能や能力を活かせるし、出身地や「何と何の混血か」があまり関係ないからです。

実際に私の体験では、シベリア地域の方や中央アジアだと日本人は現地の「ロシア人」だと思われ、あまり差別もない一方で、一旦外国人とわかると「外国から来た客」ということでとても歓待されます。まだまだ外国人と接触する人が少ないので素朴なんですよ。お茶を勧められ、ご飯をおごってくれ、市場でオマケなどしてくれる人情深い交流があります。

ところがヨーロッパ側のロシアではどこでも〝塩対応〟で、まさにソ連という感じの体験ができます。ひどい場合はなぜかアジア人の私や同行者が空港で足止めをされて、飛行機がもう離陸するというのに、ありとあらゆる難癖をつけて現金で二〇〇ドル払わないと乗せてやらないと言われ、公然と賄賂を要求されることがありました。

こんなのも〝ソ連風味〟を堪能できる醍醐味ということで、私のような人間は楽しんでしまうのですが。これがないとやはりソ連、ロシアではない。西洋化して物事がスムーズに進むのはもうロシアではないのです。

モスクワに留学していた私の友人の知り合い（日本人）は、パスポートを携帯して街中を歩いていたのですが、警察に逮捕されたとき日本のパスポートを見せて「オレは日本人だ」と言い張ったところ、「お前は中央アジアから来たテロリストに違いない」と言われ、弁護士も呼ぶことができず警察署で一晩拘束されたこともあります。

でもこの友人も知り合いも「まさに〝おそロシア〟体験ができた」とガハハと笑ってネタにしてるんです。だいたい旧ソ連の共和国とかロシアに留学するとか、わざわざ個人手配で旅行に出かけるのはこのタイプです。ようするに〝モノ好き〟です。ハワイとかカナダとかでは退屈して鬱屈するタイプですよ。

さらにロシアは親日国と思い込んでいる人がいますが、それはごく一部のアニヲタ系

「YouTuber」や、日本で出稼ぎしたいロシア女子が日本を持ち上げているだけの話といっていいでしょう。

時給一〇円の貧乏ロシア兵は室外機なしのエアコンを窃盗

そんなロシアですが、ペレストロイカ後に経済は改善されたとはいっても、国土はたいへん広い国で、多くの地域は相変わらず貧乏です。

ロシア兵はウクライナで、あらゆるものを盗みまくって戦車や装甲車に積んで搬送し、ベラルーシの郵便局から送りまくっていることが報道されました。

たとえばロシアの独立系ニュースサイト、「Mediazona」が配送会社であるSDEKにウクライナとベラルーシの配送拠点からロシア向けに送付された荷物の行き先と大きさを分析したところ、ロシア兵は略奪品を自分たちの故郷へ送っていたことがわかりました。

開戦前に扱った荷物の平均的な大きさを超える物が多く、中身はタイヤ、スニーカー、家電などで明らかに盗まれたものだらけ。最も多くの荷物が送られたのはシベリアの石炭地帯にあるウルガ（Urga）という街で、この街からは虐殺があったブチャなどに兵士が送られており、5・8トンもの荷物が短期間で送付されているのです。

このような略奪行為は現地の人がスマホで撮影した動画やウクライナ政府の電話盗聴などで明らかになっており全世界に公開されています。

他人の家のスマホやコンピュータ、貴金属といった持ち運びが楽な高額商品だけではなく、ビタミン剤から台所用品、中古の子ども服、さらにエアコンからぶっ壊れた洗濯機、さらに室外機がないエアコンまで盗んでいるのです。

これはロシアの現地に赴いたことがある人間であればよくわかります。とにかくロシアはド貧乏なんですよ。

ロシア民謡「一週間」はロシア人のリアルな生活だった！

ライターの西牟田靖氏が書いた『僕の見た大日本帝国』という本を読むとよくわかり

ますが、なんと二〇〇〇年前後の時点でサハリンの一般家庭には水道がなく、家自体が掘っ立て小屋。水道がないから樽に雨水を貯めておいてヒシャクですくっての生活です。この家は現地の基準では豊かなほうなのです。

このような田舎では、なんと運送手段に馬やロバを使っていたりします。この状況を見るとロシア民謡の「一週間」で「月曜日にお風呂をたいて～火曜日はお風呂に入り～水曜日に友だちが来て～木曜日は送っていった」は、ようするにロシアの実生活であったということがよくわかるでしょう。

ちなみにこの貧乏っぷりは私が訪問したロシアの極東や、かつてはロシアだった中央アジアのカザフスタンでも似たようなところがあります。ここまではひどくないし、今はおしゃれカフェなどもできて改善されましたが、それでも日本や東南アジアの大都会の基準だととんでもなく貧乏です。

日本のマスコミに登場する主要都市の街には外資系のカフェとかZARAやH&Mといったファッションブランドの店舗があり、一見西側先進国と似たような風景です。しかし、少し郊外のほうは道路が舗装されてなく、あばら家が建ち並んでいます。現地に行くと冷戦時代にアメリカと張り合っていたあの超軍事大国は一体何だったのかという疑念しか浮かんできません。

さらにはウクライナで戦闘中のロシア軍が携行する食料の賞味期限が切れまくりで、ひどいものは二〇一五年以前だったことが露呈しても驚くほどではありません。

食料の提供はロシアの民間軍事会社（ＰＭＣ）のワグナー・グループ（Wagner Group）で、同社はアメリカの大統領選挙にネットを駆使して影響力を及ぼしたインターネット・リサーチ・エージェンシー（Internet Research Agency）も運営しています。ワグナーはロシア政府と巨額の調達契約を結び、食料や営舎の品質を抑えて中抜きすることで莫大な利益を得ていたという疑惑があります。

ロシア軍の兵站はひどく、食料不足の兵士が店舗を襲うだけではなく、ウクライナの田舎で、ある村の民家に食料を物乞いして回っていたのです。アメリカの軍事アナリストの分析では、軍用車両のタイヤは激安の中国製のため摩耗が激しく、雪解けの泥の中を走行できない状態でした。

夜間用の暗視ゴーグルがなく、暗くなると戦車や軍用車両は移動ができません。ＧＰ

Sはなくソ連時代の紙の地図で移動せざるを得ないという悲惨な状態だったそうです。

ちなみに二〇二二年九月にはプーチンが部分的動員令を発動し、数多くのロシア人が徴兵されました。またイギリスにおける二〇二二年五月の報告では、ロシアの徴兵兵士の給料は時給換算で一〇〇円、正規兵でも月給一〇万円に満たないのです。日本のブラック企業なんぞ、まだまだ甘いということです。

教育レベルは高くても人材レベルが低いロシア

そんなふうに軍部がメチャクチャなロシアですが教育レベルは悪くありません。経済開発協力機構（ＯＥＣＤ）による二〇一九年の統計では、六三％が高等教育を受け世界の平均より二〇％も高いのです。

ところが高等教育を実施しているはずのロシアは、歴史家でプリンストン大学のスティーブン・コトキン教授によれば「高い教育レベルで低い人的資本というパラドックス」を生み出しているというのです。

通常、教育レベルの高い国は人材レベルも高いので経済活動や科学技術が活発になるのですが、ロシアの場合はそうではありません。ロシアの権威主義体制による政治的な自由の制限によって高い教育を受けた人々が海外に出てしまうのです。

ロシアというかソ連というのは、もともと中世のモスクワ大公国のころから民の多くが農奴だったところです。そこにツァーリという皇帝とか村長とか、ようするにオラオラ系権力者がいて農奴に「お前はこれをやれ」と指令し、農奴は延々とカブを抜いている、という感じなのです。

民はあまりにも長い間農奴をやっていたので、自分で工夫してカブの生産高をアップするとか、漬物をつくってプロモーションしメディアミックスして売りまくり、お金を儲けようという発想とか知恵がないのです。商売人感覚が根本的に欠如しているので、ロシア人とお話をすると、その金儲けのセンスの無さにドン引きです。

ちなみに自分の同級生のロシア人も、みなさんおそろしく金儲けのセンスがないどころか資本主義社会の基本をまったく理解していませんでした。

なんと真顔で「保険とは一体、何なのか？」ということを真剣にこちらに聞いてくる。

またATMの使い方もわかりませんでした。株式投資の仕組みも全然わかっていない。そんな調子で商売をやるので、ロシア経済がまわるはずがありません。

驚くべきことに彼らは海外に留学ができるような、いわゆる知的エリートの階層で、英語やドイツ語も一応できています。でもその層がこのレベルです。イタリアとか中国みたいに長年商売をやってきた蓄積がないためにセンスがないのです。これは今の若いロシア人もそれほど変わりません。

うちの家人はイギリスの大学で経営学を教えていますが、MBAや修士レベルの授業でさえも、留学してくるロシア人は資本主義の根本的な基礎が理解できていないようです。

具体的には、利益とは売上高から経費を引いたもの、また知的所有権を守りましょうといったことすらピンとこないレベル、さらには起業家精神が欠如しすぎて、経営学の授業で「新しいベンチャー企業のアイデアを考えて」と投げかけても何も出てこなかったりします。

中国やインド、イギリスの学生は最初から「お金を稼ぐにはどうするか」に熱心で、次々にアイデアを提案してくるのに、ロシア人は外れまくっているのです。

一方でエリートのロシア人は、日本で平安時代に書かれた「蜻蛉日記《かげろうにっき》」について日本人に延々と質問をしてきたりします。ソ連はこんな古典を利益度外視で出版していたんですが、実務に役に立つような一般人の教育は実にヘタクソです。ロシアの産業がダメな理由はこういうところにあります。

ソ連兵もいまだに常識がメチャクチャで、地図が読めずウクライナの場所が理解できていないとか、戦車で交通事故を起こすのはこのような教育の問題が原因なのです。

知的エリートは専門とするニッチな分野には異様にくわしいけれど、商売のセンスは皆無です。また一般の人々は素直ですが単純なので、ちょっと頭のきれる人間は他人をガンガン騙しまくり資源利権をゲットして超金持ちになった、というのがここ三〇年のロシア経済の仕組みなのです。

選挙も不正やり放題でフェイクニュースも流し放題で騙しまくり、独裁も可能です。ロシアで陰謀論がガンガン流行りまくりなのもこのせいなのです。

なにせ田舎に足を運んでもまともな本屋はなく、その辺のタバコ屋みたいな掘っ立て小屋というか、そういうところで日本のわら半紙レベルのペーパーへ超適当に印刷された本をチョロッと売っている。ほぼそんな感じなので、テレビで繰り返しプロパガンダを流せば一気にみんな信じてしまうのです。

ようするにロシアは巨大な灯油屋さん

このような一般人との体験や町中の観察から覚える「直感」は実に当たっています。たとえば二〇一五年一月四日、「ボストン・グローブ（Boston Globe）」紙に掲載された記事によれば、ＭＩＴのローレン・グラハムは「レーザーはロシアで発明されたにもかかわらず、民間で商品として開発されたのは他の国で、ロシアではビジネスとして発展しなかった」と指摘しています。ロシアには他国のような起業家精神、柔軟性、工業生産力がないのです。

さらにビジネスの発展には投資をしてくれる投資家や仲介する金融機関、政府のサポート、企業が商売をやりやすい法体系や税制なども必要ですが、そういった支援システムがロシアには不足しているのです。

アメリカのシンクタンクであるカーネギー国際平和基金（Carnegie Endowment for International Peace）のアンドリュー・モブチャン氏が二〇一七年に執筆した「Decline, Not Collapse: The Bleak Prospects for Russia's Economy」という論文によれば、ロシアではGDPにしめる中小企業の割合がたった二一％で、他の成功している先進国の半分以下です。

また二〇一六年九月二九日付けのロシアの経済紙「ベドモスチ（Vedomosti）」に掲載されたエカテリーナ・メレミンスカヤ氏の記事によれば、ロシア経済の七〇％は国家が所有する企業に独占され、金銭を得たいなら国家に忠誠を誓わなければなりません。

エンジンなどの高度な機械の製造には高性能な工作機械が必須なのですが、ハイエンドの工作機械は日本とドイツの独占に近く、ロシアにはつくる能力がないのです。中程度のものは製作できますが、航空宇宙産業や重機械などの製造に必須な高品質な工作機械をつくる技術はほとんどダメです。

そういった工作機械は修理やメンテナンスも必要ですが、ウクライナ侵攻による各国の制裁で部品も輸入できなければアフターケアも受けられません。ロシアの軍事用品や航空宇宙産業だけではなく、精密機械が必要な分野の産業はこれから壊滅的になるといわれています。

結果、ロシアにとって、自然に湧き出る油などエネルギー資源の輸出が最大の得意分野の産業で、これをとらえて同国はきっと近い将来に巨大な〝灯油屋さん〟と呼ばれるようになるでしょう。

経済統計がメチャクチャなロシア

また、先に紹介したカーネギー国際平和基金のアンドリュー・モブチャンの論文によれば、ロシアは腐敗と裏経済の規模があまりにも大きすぎるとのことです。

そのため政府が発表する統計も数量的分析にはまったく役に立たず、税務申告も輸入も値段をごまかした申告が横行しているために、モノやサービスの値段は実際と大きくかけ離れているというのです。

たとえば建築業界でのサービス価格は公式統計よりも二〇～五〇%以上高いとの推測です。そして二〇一三年から二〇一四年のロシアにおける裏経済の規模は全体の一〇～二〇%と見積もられています。裏取引、所得のごまかし、税金のごまかしが横行しているので、二〇一四年のロシアは支払いの八〇%が現金で、その一五年前に比べて現金の流通は四五倍も増えていたのです。

三〇%の人口はキャッシュカードを一枚も所有しておらず、ロシア政府支出の三〇%は「極秘」で、いったい何に使われたのかわからないようになっています。一九九〇年代よりはマシでも、とても先進国とは呼べないような実態でした。

ようするにロシアは前述したごとく「巨大な灯油屋」さんであり、二〇一五年の時点でロシアは経済の六七～七〇%を石油や天然ガスからの収入に頼っていたのです。

輸入品を買う際に払うお金の六〇%以上が資源からの収入で、政府税収の六〇%以上も資源からのお金です。したがって中東の資源国のような状態です。

一言でいうと「灯油の値段がガンガン上がったので、灯油さえ配達してれば営業努力もサービスも何もしなくても儲かる成金の灯油屋」です。

例え話として記すと、価格が街で一番安いので、サービスがひどくても非常に柄が悪くて反社系でも誰も文句を言ってきません。ロシアの資源は安かったので激安エネルギーで儲けたいセコい国がガンガン買っていたのです。これらの国は、反社と知りつつ、値段がお手頃の激安灯油屋から仕入れて、儲けまくっていた健康ランドのようなものです。

そんな調子なので、技術開発をしようとか、中小企業を育てようとか、海外から人材を呼び戻そうなんて動機もないので、産業も発達せず、汚職をどうにかしようという気も起きず、他の国からは中長期での経済的安定性が懸念されていたのです。石油や天然ガスの値段が下がればロシアの先行きが危ぶまれるのです。

ロシアのリーダーたちはここ数十年、何もしてこなかった。湧き出る石油と核兵器により国としての体裁が保たれてきたのです。石油と核により見かけの豊かさが保たれ、通貨が安定している以上、人々はこの国は平穏だと思いこんできた。ロシアは何も生み出さず、豊かになったのは石油が湧き出る地域と利権を独占した権力者だけです。

ところが今後は石油を買ってくれる国が激減し、そのため〝宝の持ち腐れ〟となり、なんの付加価値も生みだせないロシアは、これまでのような豊かさを享受できなくなるので崩壊するのが目に見えています。

第6章　世界の「？・」を日本人は何も知らない

なぜ日本人は役所に並ぶのが好きなのか？

外国人が不思議に思うことに、日本人は理不尽で面倒くさいことにも耐えるということがあります。その典型例が日本の役所での手続きです。

日本では多くの市区町村役所では引っ越してきて住民票を異動しようと思うと、まずは実際に市役所の窓口に出向いて受付の番号表をとって、自分の順番が来るまでずっと待っていなければなりません。

やっと順番が来たら複雑なことがたくさん書いてある申請用紙に手書きで記し、印鑑を押し、窓口の人が確認をし、いろいろと細かい部分を最終的にチェックして、それでやっと手続きが終わります。

しかし役所での手続きはそれで終わらず、その他にもいろいろな部署をまわって、結局、〝一日仕事〟になってしまうことがあります。

現在はスマホのアプリ、Ｗｅｂでのサービスなどが標準になっている先進国が増えており、イギリスなどはそもそも役所の窓口がないので、ハイテク国家である日本でなぜ役所の窓口に人が座っていて、なんでも紙で処理をして、その辺の文房具屋で買える印鑑を押さなければならないのか。

これに関して大きな疑問を抱く外国人はたいへん多いのです。

しかしなぜか日本人はこの非効率で面倒くさいことがまったく変わらないことに対して疑問を抱いていないと想定されます。役所のほうもこんなに面倒くさい作業を何十年もやっており、特に嫌だとは思っていないようです。

実につまらなくて手間がかかる作業を淡々とやる人々がいるという驚異の空間が広がっています。他の国だとアルバイトの人も管理職の人も「オレたちはこんなつまらないことやりたくないから改革をしろ」と市区町村の首長や役所の幹部に文句を言いまくるのです。

さらに住民のほうも面倒くさいことは嫌いだから、自治体の議会議員や役所の窓口の人にどんどんと文句を言って「変えろ！」といいます。

日本は役所や政治家に文句を言ったからといって逮捕されるような国ではなく、意見を述べる方法もあるのにかかわらず、なぜか誰も何も言わないのです。

これはようするに日本人がこういう手続きを面倒くさいと思っているというよりも、面倒くさいことが好きで、役所に行きたくてしょうがないという趣味嗜好の問題なのかもしれませんね。

なぜ日本人は上司を襲撃しないのか？

外国人が日本人に対して疑問に思うことのひとつに、日本人はひどい就労環境であっても、なぜか上司や経営者を襲撃しないということがあります。

他の国は一般的に気性が激しい人が多いので、就労環境があまりにもひどいと夜暗いところで待ち伏せをして後ろから殴りつけるとか、ひどい場合は銃撃してしまいます。

直接暴力を振るうのがヤバいなと思う人々は、職場でわざと仕事をやらないとか工場などの生産業務で欠陥品を大量に入れるとか、お客が怒るように仕向けるなどありとあらゆる手段を駆使して上司に復讐を果たします。頭が良い人間ほど複雑な復讐の仕掛けを講じるのでたいへん恐ろしいのです。

二〇二二年一一月には「Twitter」が従業員の50%にあたる三五〇〇人を突然解雇しました。解雇者にはメールでの事前通知すらなく、リモートワーク用のノートパソコンや業務用スマートフォン、メールなどが突然ロックされたり、社内システムに入れなくなったり、オフィスから突然退去させられた人が大半でした。

これも従業員によるデータの持ち出しや秘密の漏洩、会社や他の従業員へ物理的に危害を加えることを防ぐためです。とくにアメリカは銃を所持できるので、幹部や経営者は解雇された従業員に襲われて死ぬ可能性があります。

さらには解雇された人のノートパソコンやスマートフォン、業務システムからは即データを消す仕組みになっている企業も多数あります。ですから企業側からの集中的なデータアクセスを制御できるシンクライアントという仕組みのノートパソコンや、データセンターにおいてあるデータにアクセスする仕組みのクラウドが普及しているのです。

これはアメリカ、イギリス、カナダではわりとふつうのことで、私も突然解雇になって警備員に抱えられてオフィスから連行される人を何人も見たことがあります。これらの国の高賃金の企業は、利益率や実績に厳しいため、このような厳しい解雇が当たり前です。実績は数値で提示され、女性や子持ち、病気持ちでも関係ありません。パフォーマンスがわるく、会社の利益に貢献しないのであれば容赦なく「さようなら」です。会社はお金を稼ぐところなので当たり前という考え方なのです。

これは前線の歩兵が、士官を集団で殴りつけるとか銃撃するようなことと似ています。旧日本軍でもかなり稀にこういうことがあったようですが、現代の日本人は怒りのパワーがないのか、現場の環境に満足してしまうのか、そのようなことはしないようです。

外国人が不思議に思うのは、特に他の先進国の場合は、日本人と同じような仕事をしているのに、はるかに良い就労環境で働いています。人によっては日本人よりも給料を二倍から三倍もらっているのにもかかわらず、日本人はそのひどい環境と安い給料に耐えまくっているということです。

彼ら外国人はそんな環境下にいる日本人をかわいそうとは思わないのです。

なぜ日本人が怒らないのか、怒るパワーすらないのか、それとも外のことを知らずに自分がひどい扱いをされているということに気がつかないバカなのか、と外国人は思っているのです。

日本人は自分の給料が安く就労環境がひどいと、他の人に「こんなにひどい！」と話し同情してもらい、それで満足してしまうのですが、それは他の国からするとまったく理解ができないメンタリティということです。

日本の働く人の就労条件が悪い理由とは

日本の働く人における就労条件の悪さに驚く外国人が多いのですが、日本人の賃金が上がらず待遇が悪いのは、働く人が改善を要求しないからというだけではなく、構造的な問題もあるということが長い間、指摘されています。

これは海外の人たちは日本人よりもはっきりとわかっています。ところが日本の業界はこれを長く放置していてまったく改善しようとしないのです。また政府もなぜか目をつぶったままなのです。

これは物流業界に関する「アクセンチュア」による研究結果でも指摘されています。日本の「多重下請けによる中抜き」を認めるルールがトラック運転手の労働条件を悪化させているのです。

この多重下請け禁止に関する米国型の制度への移行により環境が良好になるとの指摘がされており、解決策は実にはっきりとしています。物流業界だけではなく他の業界も多重下請けが生産性を下げ、労働環境が悪化している原因です。

しかしこういった調査の結果は、なぜか日本では大きく報道されず興味を持つ人も多くはないのです。現場に目をつぶってしまい、解決策がわかっているのに無視している日本人は海外の人からするとたいへん不思議な存在です。

日本人がハッピーになるにはどうしたらよいか？

日本では自分が不幸だと考える人は少なくありません。その大きな理由は、日本人の労働条件が悪くて給料も安く、仕事に関するストレスがあまりにも大きいことです。

日本人は他の国の人よりも勤労意欲が高く、真面目で手を抜かず熱心に働くのですが、仕事自体は大きなストレスがかかっていると思っており、本当は仕事が好きではない人が多いのです。

たとえば、たいへん興味深いことに、コロナ禍では日本の自殺が二〇%も減っているのです。産業医による分析では、コロナ禍で出勤しないことが増えたことで自殺激減に大きく貢献したというのです。

テレワーク業務が普及したことにより職場に行かないので、苦手な人と顔を合わせる必要がなくなりストレスが激減。オンライン会議では威圧的な人の影が弱くなるので、以前より自由闊達に意見を述べることができたようです。

これではっきりするのは、日本人は職場で人と接触したくないと思っている社員が多いことです。日本の職場はプレゼンティズム、つまり「職場に物理的にいること」を強要するところが多く、知識産業や大学でさえも職場に来ることを求めるのです。

ところが多くの仕事は職場に行かなくても処理が可能なのです。それを無視して無理やり出勤させて通勤でストレスを与え、職場ではやたらとコミュニケーションを強調し、飲み会やさまざまな懇親会、イベントなど人と触れ合う機会をやたらとつくるのでストレスが激増するわけです。

他の先進国はこれをよくわかっており、特にアメリカやヨーロッパ北部など第三次産業が発達している地域では対面で作業する必要がないので、コロナ禍の前からオンラインでの仕事が増えているし、コロナが落ち着いてもリモートでの仕事を継続している職場は多いです。

仕事が処理されればよいだけなので、合理的に判断するとリモートでも可能な仕事はリモートで継続したほうがよいです。日本は通信インフラも整備されているし、コンピュータの値段も比較的安いのに、なぜこのような合理的な判断がなされないのか不思議に思っている外国人はとても多いのですよ。

なぜ日本人はゴミを路上に直接出すのか？

海外の人々が不思議に思うことに、日本人は食品衛生や入浴にはたいへんな気を遣うのにもかかわらず、なぜかゴミの収集に関しては他の国とは清潔の概念がずいぶんと違う点が挙げられます。

日本の近年の気候ははっきり言って亜熱帯で、東南アジアに近い気候になりつつあります。東京の夏の暑さはデリーを超えるほどです。

そういう気候ですと生ゴミはすぐに腐ってしまい、虫が湧いてしまいます。ところがなぜか日本では昔と変わらずゴミ袋にゴミを入れ、道路の脇や町内のゴミ捨て場に出すというやり方をしているところが圧倒的に多いのです。

害虫の発生を気にするヨーロッパの国々は、北海道の内陸部並の寒冷な気候でも、かなり強固なプラスチック製の巨大なゴミ箱や鉄製のゴミ箱に放り込むようになっています。そういったゴミ箱をロボットで集めたりするので収集には手で触らなくていいのです。道路にゴミの汁やカスが漏れることもありません。

だから掃除の手間も省けるし、害虫が発生しないことで病気や木々へのリスクも避けることが可能になります。強固なゴミ箱や収集ロボット、専用車両の整備には初期コストもランニングコストもかかりますが、それ以上の恩恵があるので大きな意味がある投資と言えるのです。

日本式の場合は自治体が販売するゴミ袋などにゴミを入れて路上やゴミ捨て場に置く

だけというところが多いので、たしかに表面上のコストは安上がりになります。

ところがそういったゴミを手で収集する作業員の健康リスクや手間暇、道路の汚れ、害虫や動物による被害、臭い、景観の悪さ、ゴミを出す利用者側のストレスなどを考えると、決して安上がりの施策ではないのです。

日本のお役所がやるのは費用対効果をみっちり詰めてないものも多いのですが、このゴミ収集と似たようなことが少なくありません。また、お役所だけではなく民間企業がやっていることも一時的には安上がりであっても、中長期で見ると実はコストが高いというものがかなりあります。

欧米の視点で見てみると、コスト高になっている日本のやり方はけっこうあるので、見直してみるのもよいでしょう。

なぜ日本の音楽教科書には多くのロシア民謡が登場するのか？

アメリカやイギリスの人が日本の教科書を見てたいへん驚くことに、日本の教育にはなぜかロシアに関係するものがやたらと登場するというものがあります。

かつては日本の教科書や文部省（現・文部科学省）の検定を通った歌集には、なぜかロシアの民話や民謡がたくさん掲載されていたのです。

現在では一九八〇年代や九〇年代に比べるとグンと減っていますが、それでも今もなお日本の公立小学校における一年生の教科書には「おおきなかぶ」が掲載されており、子どもたちが音読するとか劇をやるのです。さらに日本では「石油コンビナート」「ノルマ」という〝ソ連が由来〟の言葉が使われています。

なぜアメリカやイギリスの人々がそんなに驚くのかというと、これらの国々では第二次世界大戦後に共産主義的なもの、もしくはそれに関するものを前向きに教えることがタブーだったからです。だからロシア民謡は音楽の教科書どころか、一般的なコマーシャルでも使われることはありません。

なぜかといえば、ソ連と戦ってひどい目にあった人々が自分の家族や近所にいたからです。アメリカやヨーロッパにはソ連で迫害されたユダヤ人が移民してきています。彼らにとってソ連を思い起こさせるものは悪夢なのです。

日本の人が普通に知っているような「一週間」「黒い瞳」などの歌、「おおきなかぶ」のような民話をまったく知らない人も多いのです。本屋にはロシア民話の絵本も並んでいません。特にイギリスはそうです。とにかくロシアに関わるものは徹底的に排除されているのです。

そしてウクライナが攻撃されている現在は以前以上です。これは多様性の問題ではなく、自由主義社会にソ連的なもののロシア的なものを入れない、ということなのです。

なぜ日本では若者に自民党が大人気なのか？

安倍さん暗殺のニュース映像を見ていて驚いたことがあります。それは従来、自民党の支持者だったと言われているような感じの人々があまり見当たらないことでした。

ここ数年メディアやネットで言われてきた最近の自民党支持者というのは見るからにオタク系の人で、中年以上の男性や高齢者が多いというこれまでの自民党支持者像とは大きく異なります。

またそういった人々を研究した書籍の中に『ネットと愛国』という本があります。これはフリーライターの安田浩一さんが、在特会（在日特権を許さない市民の会）で外国人排斥運動に関わる人々について丹念な取材をおこなった作品で、当時の「ネトウヨ」の姿を描き出す貴重な資料です。

この本の中に登場する人々は無職だとか非正規雇用の男性がかなり多く、女性も若干はいるのですが主流ではありません。しかしながらこのような人々を差別的な視点や批判的な目で見るのではなく、保守になるのには厳しい生活環境があったり、仕事も必ずしもうまくいかなかったりといろいろな理由があることを描き出しています。

登場する一般の人々の多くは地方在住で豊かとはいえない生活です。要介護の親を抱えた人もいます。生真面目な人々が多く、たいへん真面目な気持ちで保守活動や排外活動をやっている。そして政治的には自民党を支持しているのです。

この本が出た少しあとに出版された『ネット右翼とは何か』（樋口直人ほか著）もおもしろい本です。ネトウヨの人々についてさらに切り込んだ研究をされています。

この本で描かれるネトウヨの人々は中年以上で安定した仕事や資産があり、金銭的に豊かな自営業者や公務員、大企業の社員などで、その多くは自民党支持者です。アメリカやイギリスの保守系有権者のプロファイルも社会学者や政治学者の研究ではこの本に登場する人々とほぼ同じなので、このような批判は的を射たものでしょう。

ところが今回の安倍さんのお見送りや献花でわかるように、どうも安倍さんや自民党の支援者の少なからぬ人が、いわゆる「サイレントマジョリティーだった」ということが真相のようです。テレビに映る姿や、実際に現場へ取材に行った方のお話を総合すると、献花会場に来ていた人々は、『ネットと愛国』の中年非正規雇用男性とも、『ネット右翼とは何か』の裕福な自営業者とも、まったく異なるのです。

来ている男性もきちっとした服装の若いサラリーマン風の人が多かったようです。また高校生や大学生もかなりいたとのこと。しかも制服を着崩しているのではなく、きちっとした学生さんが多いのです。有名校の生徒も少なくありません。

これはこれまでメディアが伝えてきた自民党の支持者や近年の保守化する人々というのとはかなり違うようですね。私はこのような実態を知ってたいへん驚かされました。

従来であれば左翼政党を支持していたような人々が現在では自民党の大きな支援者で

あり、また若い人々は革新系政党ではなく自民党を支持している人が多いのです。

若い人の多くは、とにかく自民党が好きなのです。

これは何を示唆するのでしょうか――。

若い人ほど現実に起きていることにかなり敏感で、特に子どもの頃に東日本大震災などを経験したことが、かなり影響があるのではないのかと思われます。

ロシアや中国の脅威を恐れて安全保障政策を重要視しており、そして自分たちの置かれた社会が急激に変化してしまうことを避けたいという人が多いのです。かつて若者のほとんどが「安保反対！」と叫んでいた時とは隔世の感があります。

これはアメリカやヨーロッパでは、若い人は革新系の政党を支持することが多いのに比べると興味深いことです。欧米でも最近流行っている「ブラック・ライブズ・マター」という運動や、かなり過激な環境運動、ＬＧＢＴＱの問題に熱心なのも若い人々です。

ようするに若い人は左翼系の団体や政党を支持することが多いのです。格差が大きくなっており、階級が固定されてきているアメリカやヨーロッパの実態を考えると、若い人がこういった左翼系の政党を支持するのは大いに納得できることであります。

ところが日本の場合は現状維持を最優先し、大企業に有利な政策をおこなう自民党を支持しているのであり、そのほうが自分たちの生活にとっては有利であると考えているのでしょう。

第7章 世界の「残念な観光名所」を日本人は何も知らない

人気の観光地はメディアがつくった虚像だらけ!?

日本人はやたらと海外が大好きで、テレビや雑誌には海外のネタが溢れておりますが、そのうち少なからぬものが海外の素敵な観光地を取り扱ったものです。

ところが実際その観光地に出かけてみると、テレビや雑誌で取り上げているあの美しいところは一体どこにあるのかと疑問に思うようなことが多く、そういった情報の多くは〝嘘てんこ盛り〟で、騙されている日本人が多いです。

なぜ日本人はそのようにカンタンに騙されてしまうのか――。

ようするにあのようなテレビや雑誌というのは、スーパーのチラシと同じだからです。お金が欲しい外国政府の観光局などが資金を出しまくって、日本のメディアに取材に来てもらっているからです。

当然ながら宣伝チラシだからヤバい部分は見せません。

そして、あの美しい観光地映像や写真にはなぜか観光客が写っていません。

その理由は雑誌やテレビで取材をする場合、有名観光地には朝四時とか五時ぐらいに出かけていって人がいない間に撮影や取材をやるからです。これは海外のコーディネーターの仕事をしている人間には当然のことなのです。

だいたいこれらの人気観光地というのは山梨県にある清里高原リゾートの最盛期の観光客数を超える人がテンコ盛りで、歩くのも大変なくらいなのです。だから観光客で溢れている日中では、あんなにきれいな写真は撮れません。

ですからガイドブックとかテレビの情報を鵜呑みにして行くとだいたい騙されます。いざ実際に人気観光地に出かけてみると、辺り一面〝かなりウザい〟観光客や泥酔したおっさんだらけで想像とは大違いです。

さらに注意しなければならないのは、宣伝にすこぶる長《た》けている国とか街があることです。基本的に見た目重視の国というのは観光地でも異様に魅了するのがうまいので、日本では「チェコは街並みが素晴らしい国」のように宣伝するのが実に上手です。

ところが人気の高い観光地へ実際に出かけてみると、ぼったくり満載の店だらけで実にひどい目に遭遇したということがめずらしくありません。

アメリカの大都市は鉄格子の横から飯をもらう修羅の国

日本人はアメリカが大好きです。ハンバーガーも大好き、ギャングスタ・ラッパーも大好き……。日本人ほどアメリカが大好きな人々というのはいないでしょう。

ここ最近のアメリカは物価高で「〝ワイハ〟やニューヨークに遊びに行けないわぁ〜」と大騒ぎしている人もいるようです。

とはいえ観光地としてのアメリカははっきり言ってクソのようなところばかりです。まずアメリカというのは全体的に巨大な田舎です。観光するところもあるのですが、そこに到達するまで車で延々と移動しなければいけないところばかりです。

しかも、この移動のハードルは外国人にとって意外と厳しいのです。見ず知らずの土地なので何がどこにあるかわからない。しかもやたらと広い。英語を話すのも速くて何を言ってるのかよくわかりません。

そこで日本人は間違えてヤバい地域のホテルを予約してしまったりします。だいたい最近は日本の物価が安いので日本の感覚でホテルを予約すると犯罪多発地帯でドラッグ

●この本をどこでお知りになりましたか?(複数回答可)

1.書店で実物を見て　2.知人にすすめられて
3.SNSで(Twitter:　Instagram:　その他　)
4.テレビで観た(番組名:　)
5.新聞広告(　新聞)　6.その他(　)

●購入された動機は何ですか?(複数回答可)

1.著者にひかれた　2.タイトルにひかれた
3.テーマに興味をもった　4.装丁・デザインにひかれた
5.その他(　)

●この本で特に良かったページはありますか?

[　]

●最近気になる人や話題はありますか?

[　]

●この本についてのご意見・ご感想をお書きください。

[　]

以上となります。ご協力ありがとうございました。

郵便はがき

お手数ですが
切手を
お貼りください

150-8482

東京都渋谷区恵比寿4-4-9
えびす大黑ビル
ワニブックス書籍編集部

お買い求めいただいた本のタイトル

本書をお買い上げいただきまして、誠にありがとうございます。
本アンケートにお答えいただけたら幸いです。
ご返信いただいた方の中から、
抽選で毎月5名様に図書カード(500円分)をプレゼントします。

ご住所 〒 TEL (　　-　　-　　)	
(ふりがな) お名前	年齢 歳
ご職業	性別 男・女・無回答
いただいたご感想を、新聞広告などに匿名で使用してもよろしいですか？ (はい・いいえ)	

※ご記入いただいた「個人情報」は、許可なく他の目的で使用することはありません。
※いただいたご感想は、一部内容を改変させていただく可能性があります。

の臭気がプンプンなところになってしまうのです。

これは物価が高く危険地帯がやたらめったらあるシカゴとかニューヨークだとさらに確率が高まります。危険度でいうとシカゴとかワシントンD.C.の南側のほうがニューヨークよりはるかにヤバいのですが、「物価が安い＝銃撃戦」につながります。

とはいえ、こういうところにわざわざ来てネットで宿を予約するのもつまらないものです。せっかくだから街を歩いてみて気に入った宿に直接かけあってみましょう（もちろん皮肉の表現です。以下、決してマネしないように）。

このような地域の伝統的な宿は消毒液の匂いが充満しているのが基本です。たまに今まで嗅いだことがないような青臭い感じの煙が漂っていることもあります。

排気口はほこりだらけで三〇年ぐらい経っている電話機とテレビが置いてありレトロな雰囲気を醸し出しています。カーペットはどどめ色で謎のシミが広がっていたりする。映画『ロッキー』（シリーズ第一作）の下町の家のようで大興奮します。まるで宿が博物館です。

ホテルの入り口には巨大な銃を抱えたアフリカ系の人が立っています。それが合法かどうかわかりませんが、そんなことは聞いてはいけない雰囲気を醸し出しています。そういうホテルはなぜか部屋の電気が赤くグルービーです。

同じ階にある部屋から時折聞こえてくる叫び声。そんな騒音に文句を言っても受付の人は「はあ？　わっちゅみーん？」と返してきて無視。英語が通じればまだマシで、何を言ってるのかまるでわからない移民の人の場合もあって英語の勉強になります。

世渡り上手にアメリカ旅行をするコツとは

こんな安宿ホテルの周りには普段から路上でお暮らしになっている方々が大量におり、たまに金をくれと言いながら、物乞いをして追いかけてくることもある。最近ではサンフランシスコのちょっと外れたところにもそんな感じのエリアがけっこうあります。

このような方々とガチで交流したい場合はフィラデルフィアとかデトロイトの外れ、シアトルの外れとかカナダの国境の街、ロサンゼルスのフッドという場所もオススメです。こうしたエリアでのグルメも楽しまなければなりません。

まずは基本的に周辺の店舗の入り口とか窓には鉄格子がはまっています。持ち帰りの食べ物を頼む場合、ウーバーイーツなどというチャラいものはなく、鉄格子の隙間から「ナンバースリー、ケチャップモア」など番号で手短に頼みます。

英語が不得意な人でもバッチリです。売っている人も英語はよくわからず数字の便利さを実感するでしょう。アラビア世界は実に便利なものを生み出してくれました。そんな効率的なシステムなので、ほとんど喋らない店員が目も合わせずお金をガシッと握り、袋に入った食べ物をマクドナルドのドライブスルーよりも速く渡してくれます。

ここでのポイントは「注文は迅速に、受取も迅速に」。ノロノロしているとうしろにいる強盗に襲われる可能性があります。スピードこそ命、スピードこそ才能です。

周辺の店ではお土産を買いましょう。その場合もちょっとしたコツが必要です。ドアにも窓にも鉄格子が入っており入店時には必ず声をかける。店の人に声が聞こえないようならドンドンとドアを叩く。ドアは鉄格子なので手が痛くならない強さで！

店内は基本的に日本のコンビニと似ており、違うのはアルコール類などがうしろの棚に展示され鎖を巻き付けてあったりします。それに驚き周りを見わたしてはダメです。

怪しい動きをしていると即座に強盗と思われ射殺されることがあるのです。

ポケットに手を入れるのもいけません。小型の拳銃、手榴弾、硫酸、ナイフを持っていると思われることがあるので、両手は常にブラブラさせておきましょう。

また店に覆面をした人やフルフェイスのヘルメットをかぶった人が入ってきたらすぐ床に伏せましょう。金属バットなどを持っているようであれば店内のどこかに隠れる。とにかく最も重要な点は速く走って逃げることです。

何かくれと脅かされた場合に備えて、即刻お渡しすることができる使っていないプリペイドカードとか五〇ドルぐらいの現金、高そうに見える時計などはポケットの中やジャケットの内ポケットに入れておきましょう。すぐにお渡しして満足していただければ、あなたは今後もアメリカの旅を楽しむことが可能です。

ロンドンは観光客からのボッタクリに命をかける巨大な賭場

ロンドンといえばイギリス王室やウエストエンドのキラキラした光景を思い浮かべる

かもしれません。しかしそれはロンドンの観光地としての本質ではなく、真のロンドンを知るには典型的な観光地ばかり訪ねていたら本当のことはわからないのです。

さまざまな場所に足を延ばすためにはオイスターカードとプリペイドカードを買ってはいけません。これは日本の「Suica」「PASMO」「ICOCA」などにあたるものですが、こんなカードを買ったら地下鉄やバスや電車が割引になってしまいます。気合いの入った観光客はこんなものを買わないで、すべて現金でチケットを買うのです。

それだと地下鉄が一区間六・三〇ポンド、約一〇〇〇円という〝素敵な価格〟です。このような紙のチケットの正規価格を体験することで真のロンドンが味わえるというものです。オイスターカードでは二・五〇ポンドで約四一二円、しかもいろいろ乗ると自動的に一日中乗り放題の割引価格という便利な仕組みになっています。

ところが、そんなものに頼るという〝やわな根性〟は許せません。あえてぼったくり価格の料金でロンドン市民にお布施をすることこそ旅の醍醐味なのです。

移動手段を手に入れたらさまざまな場所に出かけましょう。

まず行くべきところは「賭場」です。日本の方はご存知ないでしょうが、ロンドンはカジノいわゆる賭場がやたらあるところです。伝統的なカードやルーレットがある場所は中国やロシアからのお客さんで盛況で、なぜか大きな金額を両替することができます。レストランも併設され目が血走った人に囲まれつつ食事を楽しむことが可能です。

もう少し小規模なところがよい方はスロットマシンが並んでいるお店がアチコチにあるのでちょっと入ってみましょう。昼間から真っ暗で、隣にはサッカーくじや馬券を買うことができる〝賭け事屋〟が並んでいます。こういうお店があるエリアはたいへん便利で、そのすぐ近くにはパウンショップと呼ばれる質屋があるので、レジャーに使うお金がなくなったら時計や指輪を買い取ってくれます。

こういう場所では真のイギリスのグルメを楽しむことができます。まず筆頭に挙げられるのがケバブ屋です。なぜかトルコには存在しないトルコ料理の店がイギリスではとても盛んで、スリルを求める人々が集うところには必ず存在しています。

ただし一日中、肉が外に出してありグルグル回転しているとか、他の食材が入っているショーケースにもガンガン日光が当たっていますので、トライできるように普段からお腹を鍛えておきましょう。できれば胃腸薬の携帯も必須ですよ。

ケバブ屋とほぼセットで存在しているのがフライドチキン屋です。フライドチキン屋といってもカリブ海風などで、日本で体験できるものとはちょっと風味が異なります。場所によっては、その場でチョコレートバーを天ぷらにしたものを売ってくれることもあります。これもイギリスのグルメには欠かせないアイテムです。

少し足を延ばしてリアルなイギリスを見てみるのもおもしろいですね。

まずは重要なエリアとして私がおすすめしたいのはルートンというところです。ここはロンドンの北にあり国際色豊かなエリアで、イギリスの大都市の多様性を絵に描いたようなところです。ここには過激な意見を述べている方々がおり、ときおり敵対するグループがやってきてナタや鉄パイプを持ちだして乱闘になることがあります。

そのような状況になると、イギリスの対テロ部隊が登場することもあるので、映画で観るような武装した警官を本当にご覧になることができます。

さらにこの街のマクドナルドでは一〇代の元気な若者たちが商品を投げ合い、お互いを殴打する姿を見かけることもできます。日本の若者とはずいぶんと違うので興味深いです。クリスマス当日には街の中心部のマクドナルドでクリスマスディナーを楽しんでいるご家族を目撃することができます。

また郊外にはイギリスの一九六〇年代式のフューチャリスティック（近未来風）な公営のタワーマンションが並んでおり、さまざまな人々の生活を垣間見ることが可能です。

スラウというロンドンの西側の街もおすすめです。この街にはイギリスの現代建築を代表する灰色の近代的でセクシーな感じの建物が立ち並び、古典や権威を徹底的に否定するマインドを体験することができます。今をときめくＩＴ企業のサーバーやケーブルなど心躍るマシンを置いて監視しているオフィスがあり、インターネットが大好きな人にはうってつけです。

路上にはＫＦＣや各種揚げ物などイギリスを代表する近代的なレストランがならび、イギリスの典型的な体型をした人が頬張りながら歩いています。「ジ・オフィス（The Office）」というイギリスでは大人気のドラマの舞台にもなりましたので、イギリス人に出会ったら「ぜひスラウへ観光に出かけたいです」と力説してみてください。

寂れたギリシャにはイギリスのヤンキーだらけ

昭和世代のみなさんが大好きな海外の観光地にギリシャがあります。日本の新聞や旅行案内を見ているとギリシャ行きのパッケージツアー一週間で三五万円などといった商品が掲載されています。バブルの時期にはテレビや雑誌で青い海と白い建物がキラキラで、リア充の男女によるランデブーみたいなものがよく掲載されていましたね。

私も昭和バブル脳でして当時の記憶があったので家人に「ちょっとギリシャに行ってみようよ」と提案したのですが、「えー嫌だよ。なんでギリシャなんだよ」とあからさまに嫌がられたのです。あの地中海の宝石に行きたくないのか……。イギリスでは食べ物のセンスもないし旅行のセンスもないのにね、と私は呆れておりました。

そう思いましてギリシャ旅行をいろいろ調べていると、なぜかイギリスやドイツ発着のツアーは異様に安いのです。飛行機は片道五〇〇〇円とか、夏のピーク時でも往復で三万円もしません。そしてパッケージツアーになるともっと安く、なぜか一週間、飛行機と一日二食込みで五万円など異様に安いツアーが出回っていました。

とにかく安いのでドケチな私は早速クレタ島への往復航空券を予約し、ロンリープラネットなるガイドブックに「すごく感じが良い‼」と力説されていた漁村にあるキッチン付きのアパートを予約いたしました。

池田満寿夫《いけだますお》的な世界（『エーゲ海に捧ぐ』）が展開されているに違いないと嫌がる家人を引きずって意気揚々と向かったギリシャでしたが、しかしながら世の中は甘くありません。

地獄は飛行機の中から始まっていました。超激安の飛行機なので機内からしてヤバく椅子はボロボロ。リサイクルショップで中古品を買ってきたような感じです。

客は泥酔した顔が真っ赤なイギリス人。親子で椅子の上に立ってラッパ飲みしている奴らがいるのです。その親子の髪型はなぜかモヒカンで、腕にはガンガン刺青が入っています。母ちゃんは超巨大でマツコ・デラックスも顔負けで、泥酔した客が周囲とトラブルを起こしかけており機内は〝修羅の国〟なのです。

なぜ、お金を払ってメイウェザーの一〇〇倍怖い人々に囲まれなければならないのか。家人の目線がなんとなく遠い理由がわかりました。そしてこの飛行機内の状況からして嫌な予感はギリシャに到着するとさらに確信へと変わりました。

ガイドブックと旅行番組では「青い海と白い建物」しか写っていなかったギリシャですが、目の前に広がる光景は仮設住宅にしか見えない空港。いい感じの漁村と言われたところは金網で囲まれた断崖絶壁の超寂れた岩場です。殴り書きの錆びた看板だらけでどう見てもこの先、「青い海と白い建物」が待ち受けている感じがしないのです。

途中、ポツンポツンと大学の文化祭で造った掘っ建て小屋を何倍も腐らせて集めたような街がある。走り書きで間違いだらけの英語で書かれた看板とクリスマスのライトでギラギラに飾り付けてあり、場末感がいっそう高まります。

こういう街の飲み屋のオープンテラスエリアにたむろっている連中はもう目が飛んでしまっている白人のイギリス人だらけで、昼間から浴びるように安酒を飲んでいて辺り一面はゲロを吐いた跡だらけ。その周囲をノーヘルの真っ赤なロブスター状態のツーブロックゴリラのイギリス人が原チャリで爆走しています。

つまりギリシャというのは、海岸は岩場だらけで泳げないが、とりあえず太陽と海はあるのでイギリスやドイツ、さらには北欧より安い酒が飲めればよいというパリピ系のツーブロックゴリラとかヤンキーが集うところだったのです。

アメリカや日本の人々はこの実態を知らないため、クルーズとかツアーに大金をはたいてしまう。このようなギリシャですが、日本人女性はこの国では大人気です。

なぜかと申しますと、この貧乏国ギリシャは産業がまるでないため、かつては船乗りになって海外へ出稼ぎに行くのが当たり前でした。ようするにヨーロッパのフィリピンだった。そのため至るところに片言の日本語を話すギリシャ人のじいさんがいるのです。

その辺を歩いていると「ヨーコ！　コニチワ！」みたいな声がかかり、片言の日本語と英語で一生懸命、昭和四〇年代のヨコハマのバーはこういう良い店があったとか、アケミはいい女だったとか、熱く語るフレンドリーな人々に会うことができます。

ちなみに私が滞在した宿のオーナーも元船乗りのおじいさまでありましたが、数十年ぶりに馴染みのある日本人女性を見かけて大興奮！　おじいさまの隣りでおばあさまの視線が厳しかったのは言うまでもありません。

マルタはヨーロッパ〝ジジババ〟の熱海だった!?

日本のマンガやアニメには、ときどき「マルタ」というヨーロッパの島が登場します。マルタ騎士団というちょっとかっこいい物が歴史に存在しますので、中二病マインドを刺激するのにぴったりなマルタ。この島はイタリアのシチリア島のちょっと先にあり、海は青く、一年中穏やかな気候に恵まれています。写真を見るとヨーロッパのリゾートそのもので、なんだか素敵な城壁もあっていい感じです。

「マルタ騎士団」というワードに導かれ、しかもなぜか飛行機代も宿代も異様に安いので、感覚的には神奈川から群馬に行く感じ。ドケチな私は例のギリシャ旅行でまったく学習することなしにこの島へ遊びに行くことにしました。家人は当然のごとく渋い顔をしています。とはいえ恐ろしい妻が怒ると困るので嫌だとは言えません。

しかしながら安いということにはやっぱり落とし穴があります。

なぜかマルタ行きの飛行機には足元がフラフラの、バイデンさんも真っ青の年寄りしかいません。ふと見上げると頭髪は全部シルバー、歩行器や車椅子がデフォルト状態です。

そしてパックツアーの冬値段を見ると、なぜか一月とか二月は三週間滞在で一泊二食に往復航空券と送迎付きで二万八〇〇〇円！　意味がわからないほどの激安価格です。

つまりこの島はヨーロッパの年寄りが冬に引きこもる暖房と食費節約のための島だったのです。ようするにジジババ向け〝激安の熱海〟のようなものです。マルタへ遊びに行くと言ったら周りにいるイギリス人がフッと笑っている理由が判明しました。日本にいる外国人の方が謎の地方都市へバカンスに行く、というようなものだったのです。

たしかに島へ着いてみると、見る名所もやることもほとんどなく、娯楽といえば大きなホテルのカジノのみ。観光地には教会のようなものがちょっとあるだけ。交通機関はイギリスから持ってきた中古でボロボロのバスによるベトナム旅行ってな感じです。

英語圏のはずなのに地元民の言葉は謎の英語で、家人は意味がわからないとパニック状態になっています。ところが、この島はお金がないため最近は無知な日本人を騙して英語留学が大繁盛なんです。

一番大きな島の中心に赴くと人気がなく寂れたところにポツンとビルが建っていて、

その中に何社もの胡散臭い会社の看板が貼り付けてあります。ここは租税回避地として有名で、租税回避を目的とした会社が紙の上で登録されているのです。

お金をあれこれ操作できるとなれば、そこに湧いてくるのがロシア人。不動産会社の軒先にはロシア語で書かれた不動産広告、そして最近では暗号資産（仮想通貨）の会社がこの島で大盛況です。しかしロシアも暗号資産も最近は沈没気味なので先行きがわかりませんね。

スイスは物価が高くて飯がまずいだけ!?

日本のみなさんは某アニメのせいでスイスに対して何かドリーミングなイメージを持っている方が多いようです。しかしスイスはどういうところなのか。例のアニメ少女のおじいさんが元傭兵であって、山で引きこもっているヤバい人だということを考えれば、この山国の本質というものがわかるはずです。

スイスは、イギリス人には観光地として人気がありません。

まずポイントとしては物価が異様に高いので、お酒をたくさん飲めないからです。たしかにスーパーで売っているものも外食も総じて高く、たとえばファストフードでちょっとしたセットを頼むと一人当たり三〇〇〇円ぐらいかかります。

もちろん地元の人の給料が高いので地元民としては払える範疇なのですが、観光客としてはいかがなものでしょうか。しかも外食をしてもグニャグニャに伸びたパスタが出てきて、焼いただけの肉にやたらとしょっぱいソースがついてくるだけという状況なので高い金を払う価値がありません。だいたい二日間いると鬱になってきます。

そしてスイスに実際に降り立った日本人は、その風景を見て「俺はなんで山梨に来てしまったんだ！」と、世界の中心から愛を叫んでみたくなるでしょう。

町をちょっと離れると、広がるのは牛糞臭い農場と山、山、山〜！　ピアノもねえ、バーもねえ。あるのはどう見ても長野の山奥の納屋。岐阜・飛騨高山の合掌造りにそっくりな家だらけ。周囲をグルグルしているのは牛を連れた爺さんだけです。

山と田んぼが大嫌いな日本人としてはもうウンザリだという方は多いのではないでしょうか。私はスイスに行って「また山かよ！」と啖呵を切ってしまいました。

しかしながらスイスはあまりにも物価が高いうえに飛行機代も高いので、あそこまで行った日本人というのは「素晴らしい！」と連呼して、お金を無駄にしてしまったということを忘れようとするのです。

ロシアの観光地は謎のドアノックと遊園地と賭場を楽しめる

最近いろいろ話題のロシアですが、かつてのロシアは観光地としてなかなかおもしろいところでした。日本やアメリカとは異なる「多様性」が広がっているからです。

たとえば二〇年前ぐらいのロシアはサンクトペテルブルグのような大都市でもどこかに移動したい場合は一般の車に手を振って止めて、ＵＳドルの現金を手渡して片言のロシア語と英語で何とか行きたいところを伝え運が良ければそこに連れてってもらえるという誠にアドベンチャラスなことを体験できるところでした。

運が悪いと誰もいないところに連れていかれてしまうというスリルがあります。さらにそこはなんといってもロシアなので、車が途中でぶっこわれ、見ず知らずの運転手の人がいきなり工具を取り出して、車の下に入って修理を始めるというアトラクションも起こったりします。

またロシアの空港でもこのようなアトラクションが満載です。

たとえばかつてのロシアの空港は、基本的に電気がついていなくて空港中が真っ暗ということがよくありました。空港だけではなく空港内の建物から飛行機に乗るまでの移動に使用するバスの中も真っ暗です。

真っ暗なのでどこかに護送されている気になりますが、この異国な感じはかなり刺激的です。現在ロシアから逃げようとしている人たちを見ると、空港もバスもすっかり近代化されヨーロッパ西側と変わらなくなっているので安心感が漂っています。電気がつかない空港を体験している人間としては、なんとも寂しい限りです。

また私がサンクトペテルブルグで荷物が出てくるのを待っていたら、同じ飛行機に乗っていたロシア人の方が突然倒れて亡くなってしまいました。

亡くなっているのに誰も騒いでいません。騒いでいるのは私とどこかの国の方だけでしたが、隣に並んでいたリビアかどっかの商人らしきヒゲの紳士が「ザッツ ラシヤ（That's

Russia)。はっはっは」とバカウケしているのです。

一〇分ほど経つと国防色の謎の車とシミだらけの白衣を来た巨大なお婆さんと、謎の箱に入った謎の電極が飛び出ている機械が登場し、なにやら操作していましたが諦めたらしく、そのまま放置していってしまった。あの遺体がどうなったのか、謎です。

ロシアのホテルというのもスリリングな感じが満載です。

たとえば私が滞在したモスクワの某老舗ホテル。今もそうなのかどうか知りませんが、なぜかホテルのバーのエリアやレストランに行くと、セクシーな格好したお姉さんたちがダルそうな感じで待っています。彼女たちは朝からいるのですが夜になっても家に帰らず、たまにホテルのドアをドンドン叩いたりしているのです。

これは私が滞在したウラジオストクのある外資系のホテルでも同じで、部屋で母と寝ていたら三〇分おきにドアをドンドンドンドンと叩く人がいるのです。こわごわと覗き穴から見てみると、きらびやかなお化粧に踊り子さんのような服を着た方がじっとこちらを覗いていました。このように資本主義化したばかりのロシアでは、さまざまなビジネスチャンスを探す自営業の方々がいたのです。

ロシアにもいろんな観光スポットがありますが、日本では意外と知られていないのがロシアにはギャンブルを楽しめるところが各地にあるということです。

それが合法なのか違法なのかをよく知りませんが、そういう場所がどこにあるかは簡単に知ることができます。建物の外や周辺のホテルには大勢の中国人がいるからです。彼らはとてもギャンブルが好きらしく、なぜかわざわざロシアに来てギャンブルをやっているのです。美術館とか庭とか一応観光するところはあるのですが、そういうところにはなぜか中国人はおりません。

中国もロシアも、外交や貿易に関しても行き当たりばったりのところがありますが、彼らのギャンブル好きなところに原点があるのかもしれませんね。

第8章　日本人は「イギリス王室の真実」を何も知らない

イギリス人にとって王室はYouTuber扱い！

二〇二二年は夏休みが終わったら、エリザベス女王陛下が崩御されるという歴史的な事件が起きてしまいました。イギリスの雰囲気は、日本で昭和天皇が崩御された時とはだいぶ違いました。

喪の期間は崩御から葬儀までの一〇日間とたいへん短く、ミュージカルや音楽イベントなどはそのほとんどが通常どおりで、ビジネスも学校もいつもどおり。お店も九月一九日の葬儀の日は休みになるところもあったが、全国で喪に服すわけではありません。また崩御に関して話題にする人も実に少ないのです。

私が崩御の際に地元のイギリスにいてドン引きしたのが、王室に対する認識が、特に若い世代の間ではかなり変わっているということでした。

とにかく日本に比べると、王室に対する態度がメチャクチャに軽いのです。はっきりいって、葬式ではなくパリピがウェイウェイと騒ぐフジロックのあのノリです。

崩御後にイギリスの多くの人々がバッキンガム宮殿と女王の住居であるウィンザー城

の前に集い、お悔やみを伝えようとしておりました。

ところがここで大変驚かされたのは、新しい国王であるチャールズ三世とカミラ妃、さらにウィリアムとハリー夫妻が登場した際の人々のリアクションです。

一般のイギリスの人々は柵を乗り越えて王族の人々に触るとか握手を求め、スマホで自撮りをしまくりそれをすぐさまネットに載せ、まるで「YouTuber」気取りです。

中年のオバハンに至ってはチャールズ三世を捕まえていきなりチュー！

これは上皇さまに謎の手紙を押しつけたあのメロリンQこと山本太郎もドン引きのアクションです。ブッチャーに空手チョップをお見舞いするプロレスファン、また先頃亡くなられたアントニオ猪木にビンタを食らわせられるのではなく、猪木をガチで殴りつけるDQNの一〇〇倍ぐらい上をいっておりますね。

さすがイギリス、さすがDQN集積地！

周りにセキュリティが山盛りでもどうでもいいと思っている国民。さすが全国民ヤンキー化が進むイギリスらしいリアクションであり、私的には見ていて胸熱でした。

さすがに日本だったら皇室の人にキスをする人はいないでしょう。日本では有名人に対してもハグやキスをする人を見たことがありません。

スマホで撮影する人々の数はたいへん多く、おそらくこのイベントのあとで彼らは自分のSNSに王族との写真をアップするのでしょう。すなわち王族を見に行くのは「Instagram」や「TikTok」のネタにするためなのです。

大声で名前を呼ぶ人や歓声をあげる人、大笑いする人も多く、婆さんが死んだというのに、次の世継ぎのこれまた爺さんであるチャールズ三世が登場すると「フレー！　フレー！」と大歓声で笑顔の大笑い。王室メンバーも一緒になって雄叫びをあげます。「おいおい、婆さんの葬式だろう、お前ら」という感じですが、イギリス国民の普段のパーリーでの弾け方、飲み会で泥酔してパンツ丸出しの女が路上で寝る、女が駅のプラットフォームとか路上でパンツ脱いで立ちション、ゲロ吐きまくりのサラリーマンとか普段の行動を見ているとさもありなん。

葬儀というよりもプロレスの会場で猪木や馬場、ブッチャーに声援をあげるファンに近いものを感じ、昭和世代の感覚だとどうみても「猪木祭」そのもの。

ハッキリいってこの会場にピッタリな音楽は「イノキ・ボンバイエ」です。たしかにケイト妃の顔を叩いている一般人もいたので、まさに猪木のビンタがさく裂！

そんな調子の中、私は一応ネタを探しに行くために電車に乗ってロンドンの中心に向かったのですが、この電車からしてすでにＤＱＮの巣窟状態なのでした。

女王さまのご葬儀で踊る警備員

列車を降りてバッキンガム宮殿まで歩いていくさなかの光景も日本だと、ちょっとありえないものでした。

雰囲気が音楽フェス状態で、ニコニコウキウキのリア充山盛りです。もはや葬式ではなく、お台場のイベントか無料の花火大会、ここはヤンキーのナンパスポットか⁉

なぜか高級自転車で全身プロサイクリストの服に身を包みサイクリングに登場する男。ピチピチの服でボディを見せつけてジョギングする男。そしてギラギラのネイルにケツ丸出しの服で登場するギャルなど葬儀の雰囲気は皆無です。

昭和天皇の大喪の礼のとき、全国で喪に服した状態はなんだったのか！

イギリス王室と日本の皇室ではこんなに違うものなのか、おもわず唖然としてしまいます。さすがパリピ大国イギリス！　葬式もパリピのリア充活動にするというパリピ脳ですね。

さらにそれは一般市民だけではなく警備の人々も同じです。彼らはみんなダラッと立っており、仕事よりも一般市民への道案内や世間話に熱心。人によってはなんとブレイクダンスを披露して、一般市民に拍手喝采を浴びている人もいるほどで、いったい何の集いか、もはやわかりません。白バイ隊は子連れの子どもを白バイに乗せて「おい、お前！　ランプを点《つ》けてみろ、サイレンもなるぞ！　うえーい」とかやっているのです。

こんなことでいいんでしょうか。

イギリスの警察は普段から非常にやる気がなく、家に強盗が入っても「人がいないので捜査できない。あきらめてくれ。今忙しい」とか言ってしまうのですが、女王の葬儀でもいつものノリです。

王室を介してみる日本とイギリスの国民性と世代の違い

さらに驚くべきことに、女王さまの葬儀で集まってきた王族の人々は、一般民衆とにこやかに写真撮影や雑談に応じているのです。

もちろん握手は素手で誰もマスクをしていない。日本ではちょっと前に安倍さんの暗殺事件があったばかりなので見ていてヒヤヒヤです。

イギリスではロシアのスパイによる放射性物質での暗殺があったのですが、セキュリティは大丈夫なんでしょうかね。

とはいえ自分たちの母親や祖母である女王陛下が崩御した直後に一般民衆と笑顔で接するというのは大変な衝撃ですね。少なくとも私の記憶では女王陛下はこのように一般の人とキスを交わし、ベタベタと握手はしていなかったからです。

女王陛下は、ビクトリア女王に仕えた首相であるベンジャミン・ディズレーリが提唱した「絶対に苦情をいわず、絶対に釈明せず」（never complain, never explain）を自身の母が王室の非公式なモットーとしたのに従いました。

忠実に守ることで威厳を保ち、ポッドキャストもブログもやっていなかったし、自身の意見を表明することもなかった。他人との身体的接触も最小限でした。

しかしながら、この一般人と若い王族たちの振る舞いには国民性と世代の違いのようなものを感じるのです。

一九七〇年代や八〇年代の映像を見てみると、イギリスの人々は王族がお出かけになる際にほとんどの人が写真すら撮っていないのです。握手を求める人は皆無で遠巻きに眺めるという感じで、声をあげる人も話しかける人もほとんどおりません。

イギリスの人々の服装も今よりもはるかにフォーマルで、スーツ姿の男性やワンピースの女性が目立っています。当時、Tシャツは下着のような服だと思われていたし、人に会うときにはジーンズでは失礼だと思われていたような時代です。

家人のお祖父さんとお祖母さんは買い物に行くのにもスーツやワンピースで、夕食のときは綺麗な洋装に着替えていたそうです。彼らは北部の炭鉱町のそれほど裕福ではない家庭の人々です。そして当時はみんなで日曜日には教会に通っていました。

買い物は生協の共同購入、貧乏で海外に行くことはできず、パスタは変わった外国の食べ物で手に入らず、テレビは3チャンネルしかなかったのです。

今は教会に通う人は減ってしまい、潰れるところばかりなので、途上国の移民を勧誘したり、教会をアパートに改造したりして売り飛ばしています。非正規社員だらけなのでスーツすら持っていない人も多いです。夕食はダイニングテーブルではなく、テレビの前のソファで冷凍のピザやハンバーガーを食べて終わりです。

王室に対するイギリスの人々の態度は時代の変化もあるのでしょうね。

イギリスの人々にとって現在の王族というのは、おそらく何か神聖なものというよりも、芸能人やインスタの有名人なんですよ。

それに気がついたのは、学校に通う子どもの親たちのメーリングリストです。崩御から一〇分ぐらいして、ある親が「私達のラブリーな女王が死んじゃったわ！」と投稿したのです。その直後に他の親たちが投稿したのは以下のような内容です。

「ジョンくん、誕生日おめでとう！」

「誕生日ケーキありがとう！　ハッピーバースデイ！」

「あしたの体操着はフットボール用なの？」

日本であればいくら学校のメーリングリストでも、天皇崩御となったら「ラブリーな天皇が死んじゃったわ！」と投稿する親はいないでしょう。

さらに「ハッピーバースデイ！」という投稿も自粛する気がするのですが、彼らが王族をインスタの有名人と同じように思っているのであれば納得がいきますね。

なんとなく国民性の違いというか、世代の違いというか、何か違和感を覚えてしまった私はたぶん保守的で古い時代の人間なのでしょうね。

そんな保守的な自分は一応数少ない日本人なので、日本人のイメージを損ねてはならぬと思い、以下のような感じの格式高いお悔やみを投稿しました。

「女王陛下の崩御に関して、心からのお悔やみを申し上げ、大英帝国並びにコモンウェルスの皆様の悲しみを共有いたします。女王陛下は強く、エレガントで、素晴らしいリーダーシップをお持ちでした」

五〇代の大学教員である家人に言わせると、その内容も投稿も妥当だし、こういう機会には礼儀に沿うべきだ、まともなイギリス人なら喜ぶよ、ということです。

ところが謎の東洋人によるこの格式張ったメッセージは親たちに驚かれたのか、その後の数時間にわたってメーリングリストへの投稿がストップ！

ママ友の世間話に、フルアーマーの武士が登場した感じでしょうかね。

なぜチャールズ国王はただちに即位したのか

女王さま崩御で驚いたことは、イギリスの人たちが崩御直後に次の国王であるチャールズ国王の即位を祝いはじめたことです。メディアでは即位を祝うメッセージが流され、バッキンガム宮殿ウィンザー城に集まった一般の人々は、チャールズ国王やその他の王族が現れると「フレーフレー」と男性も女性も野太い声で雄叫びを挙げ大騒ぎ！

拍手に笑顔での大歓迎でした。その様子はまるで中世を描いた映画を観ているようで、「ああ、ヨーロッパでは前の王が崩御すると本当に新しい王に雄叫びを挙げて祝うのだな」と感じました。かつては前の領主の首が狩られた途端に新しい領主に対して雄叫びを挙げていたのでしょうね。おそらくそうしないと自分たちの命が危なかったのです。

また注目すべき点はヨーロッパ大陸の王政であれば、国王もしくは女王の崩御から数日間おいて即位の儀式の後に新国王または新女王の即位となるのですが、イギリスの場合は死去してすぐ自動的に即位なのです。

ジョージ六世が死去した際にもエリザベス女王はアフリカ諸国訪問の最中に女王となりました。これは王政を途切れることなく継続し、敵からの支配を防ぐためという伝統です。まさに殺るか殺られるかというヨーロッパの歴史そのものであり、こういうところからも、なぜヨーロッパでEUをつくる必要があったのかわかりますね。

ウクライナを見ていればわかるように、統治機構の空白は敵からの支配を許すことになるため、強固な統治を継続し、空白をつくってはならないのです。空白があっては軍が動かせなくなります。とにかくヨーロッパは戦乱の歴史の土地なので、敵からの攻撃をいかに防ぐかということが重要になります。

私は現地でまさに生きた歴史を体験したことになりました。

この点からもイギリスの王政というのが、日本の皇室とは立ち位置がかなり異なるということがよくわかります。

日本の皇室は精神的な象徴であり、文化であり、神道そのものです。イギリス王室は精神的な意味より実質的な統治機構としての意味合いのほうが強く、武家や将軍家に近いのです。したがってイギリス国民としてはこの世を去り、天国にいってしまった女王を悲しむよりも新しい国王を迎え、新時代を築いていくということのほうが優先順位が高いわけです。

なぜエリザベス女王は人気があったのか

イギリスにとってエリザベス女王は精神的な意味合いも強く、失ったショックは大きいです。多くのイギリス人は女王陛下がいない時代を体験せず、女王陛下の一九五二年の即位を記憶しているのは、ほとんどが現在七〇代後半以上の人になります。

私の義母は今年八三歳なので一〇代だったため即位をよく覚えており、それ以下の世代は「常に女王陛下がいることが当たり前」の時代しか経験していません。

つまり王室＝エリザベス女王なわけで、永遠に存在すると思っていた人が突然いなくなってしまったのです。これを一般人に例えると「ずっとあると思っていた実家がいきなりなくなってしまった」というような衝撃です。

これを反映するようにイギリスの調査会社「YouGov」が実施した世論調査によれば、なんとイギリスの半数近くの人々が女王崩御の際に涙を流したと答えているのです。

イギリスは日本に比べ合理性を重んじ、ビジネスのデジタル化や金融改革がはるかに進んでいます。ビジネスはドライであり職場では解雇やリストラが当たり前という社会。そして人々は徹底した個人主義で移民が大量にいるので、日本に比べると地域社会や国といった概念がたいへん弱いのです。伝統食や伝統行事はどんどん失われており、地元の祭りよりも途上国の移民による宗教行事のほうが熱心なほどです。

ところが王室に関しては、イギリス人は日本人に似たような感覚をまだまだ持っているのです。イギリス人にとってエリザベス女王＝王室は、自分がイギリス人であるために、イギリスという国を象徴する存在として必要であり、文化的なアイコンとして重要な役割を果たしているのです。

この点では王制を廃止してしまった多くのヨーロッパ大陸の国々や、王室が存在しないアメリカとは大きく異なります。

私は、イギリス人とその他の西洋諸国が文化的な面、心理的な面で大きく異なるのは、この王室の存在にあるといっても言い過ぎではないと考えています。

たとえばヨーロッパ大陸の多くは革命により王政を廃止しています。王族を残虐に処刑したフランスはその代表的なものです。ヨーロッパの歴史において王政と人々の関係は切っても切れないもので、貴族は土地を中心とする資産と富を所有し、その貴族の頂点に立つ王族は、その国で最も豊かな地主として君臨してきました。

そして国を統括するものとして軍事の頂点に立ち、他国から自国の領土を守ってきた。戦争となれば王族は前線にいくこともある。そのため王族の男子は伝統的に学校教育では軍事訓練を基礎とした教育を受け、山や野原を駆け巡るクロスカントリーランやラグビーで体を鍛え、成人になれば軍務につきます。

日本の皇室に比べると宗教的な意義や心理的な意味での立ち位置は弱いわけですが、その土地の人々を統括する存在としての意義は強く、軍事的な識見も有しています。イギリスの王室は昔に比べると、はるかにその実質的な力は弱くなって象徴的な意味で国を統括していますが、それが代々継承されるという永続性も持っているのです。

時代は変わっても王室というものは自分の実家のように必ず存在しています。儀礼や城もそのままであるという安心感は大統領制のアメリカや歴史的な蓄積のないイギリスの旧植民地には存在しません。

自分たちのアイデンティティのひとつが一定の永続性を持って存続するのは、ある意味で心理的な安心感をもたらすものですね。

イギリス人は旧植民地であるアメリカやヨーロッパ大陸に比べると、白黒はっきりとさせず、さまざまなことを灰色のままにしておきました。

劇的な変化よりも中庸と安定を好むようなところがあるのですが、これは心の故郷のような王室というものが存続しており、ある意味での社会の安定性が保たれていることに起因するのではないか、と考えることがあります。

このようなイギリスにおいて、やはり王室の支持率は意外と高いです。ある調査機関が長期にわたってイギリスの人々の王室に対する意識の定点調査を実施しているのですが、「王室を支持する」と答える人はいつも七割前後と高く、多くの国民が王室に親しみを抱いていることがうかがえます。

群を抜くエリザベス女王のリーダーシップ

このようにイギリス人の王室に対する支持が高い理由には、やはりエリザベス女王のカリスマ性とその類稀なる君主としてのリーダーシップが果たした役割が大きいといえるでしょう。一九五二年に即位した、まだ二十代半ばの若い女性であった女王さまは第二次世界大戦で国土が大きな損害を受けたイギリスを立て直すという重責を背負っていました。当時のイギリスは今よりもはるかに保守的であり女性の立場は弱く、ましてや女王さまにはすでに二人の幼子がいました。

当時のイギリスは、男性は女性よりすべての点で優れていると考える人が多く、年長者がすべてにおいて優先するという考え方もありました。女性解放運動はビートルズが登場するはるか前で、女性であり若いという女王さまの周囲は障害だらけでした。

子持ちの女性のほとんどは専業主婦となり、職業婦人はめずらしかったのです。第二次世界大戦で男性の多くが戦死したり障害者となったりして、女性が働かざるを得なくなりましたが、それでも女性の地位はまだまだ低かったのです。

そのなかで国土を破壊されたイギリスを率い、衰退しつつあった連合王国をなんとか維持していく重責は大変なものであったと推察されます。したがって女王さまは何においても国家と公務を優先することになりました。特に注目すべきなのは女王さまが王族としての態度とはどうあるべきかを体現してきたことでしょう。

ビクトリア女王に仕えた首相ベンジャミン・ディズレーリがコメントした「絶対に苦情をいわず、絶対に釈明せず」を忠実に守ってきました。これはディズレーリがオクスフォード大学の神学者ベンジャミン・ジョーウェットの「Maxims for a Statesman」から引用したと考えられ、女王さまの母が王室の非公式なモットーとしたものです。

結婚後、女王さまの母はこのモットーを忠実に守り、帝王学を身につけたエリザベス女王も忠実に従い、国家に忠誠を誓う君主としての威厳を保ってきたのです。

第二次世界大戦後にそれまでは血統のみで神聖なものとされていた王族が民衆からの求心力を失い、人間を超えるような神聖な存在のイメージを保つため、このモットーを貫く必要があったのです。それを若い王族が理解せず、反論できない女王陛下を攻撃してきたのは実に残念なことで、七〇年間の努力に泥を塗るような行為でしょう。

さらにエリザベス女王は常に「タフな支配者」としての活動にも熱心でした。

第二次世界大戦中は若い女性として正式にイギリス軍の女性兵士として軍務につき、軍用車両の整備や大型車の運転をされていた。休暇の際には自ら、もともと軍用車両であるランドローバーを運転して鹿狩りをしていました。

クールだがタフで、いざとなれば国家と命運を共にする強さを持っていた女王さまは清貧で、チャラチャラせず、文句を言わず、一方で一般市民と接する際には配慮を忘れず気さくに言葉をかわし、誰にでも公平で親切でエレガントだったそうです。

タフさと優しさ、さらに女性らしい美しさも兼ね備えた女王陛下は、古き良きジョンブル魂を体現しておられました。女王陛下の最期の地が、ロンドンから遠く離れたスコットランドのバルモラル城であった、というのも印象的ですね。

うちの家人がこの城から最も近い街であるアバディーンの大学で教鞭をとっていたので、私は城を訪問したことがあるのですが、森と草原に囲まれた静かな場所で、広大な敷地に地元でとれる石を使ってつくられた清貧な城がぽつんとあるだけです。

城の中はとても寒いんです。女王陛下が使う家具を実際に見ることもできますが、おそろしく古いものばかりでカーペットも何百年か経っているような感じ。中世そのものでキラキラしたものはないです。あまりの清貧に日本人は驚き、若い王族が好む派手で享楽的な生活とは正反対。ダイアナ妃がここでの滞在を嫌がったのは有名な話です。

時折うさぎや鹿が登場しウイスキーづくりに最適な綺麗な水が豊富で、夏でも涼しさを通り越して寒い地です。雉《きじ》や鹿、寒冷地で育つ牛から取れる濃厚な牛乳、地元で釣れるサーモンが実に美味なのでイギリスで最もグルメな地です。

女王さま行きつけのお肉屋さんも地元の小さなお店で、このお店のオーナーさんはときどきテレビに出ます。フィリップ殿下も気さくに立ち話をしに来ていたそうです。

一方できらびやかな装飾やパーティーとは無縁で、周囲には人っ子ひとりいません。まさに田舎の極みです。女王さまは毎夏ここで休暇を過ごし、地元の商店や狩場の担当者と気さくに交流し、家族とのピクニックや狩りを楽しみにされていたそうです。

バルモラルを「終の棲家」に選ばれた点で、女王陛下がどんな方だったかよくわかりますね。長年の重責から解放され、今頃はフィリップ殿下と温かい紅茶をお楽しみになっているのではないでしょうか。

第9章　世界の「あるもの／ないもの」を日本人は何も知らない

アメリカは有給の病欠もなかった！

アメリカという国は病欠に関しても産休や育休と同じような扱いです。現在アメリカの雇用主には有給の病欠を提供しなければならない義務がありません。しかしながらアメリカ労働統計局の調査によれば、有給の病欠が職場によってまったくないというわけではなく、七割ほどの職場は福利厚生として何らかの有給の病欠を提供しています。

ただし「何らか」というところがネックで、これは職場によって大きな違いがあるということです。たとえば私の友人はアメリカのシリコンバレーにあるソフトウェア企業で長年働いていますが、彼女が入社した初年度は何と有給の病欠がゼロでした。

アメリカは個人の能力によって会社と契約を結んで働くというプロ野球選手のような働き方をするところなので、入社したばかりで、若くて実績がない人には福利厚生関係もかなり杜撰《ずさん》です。その会社がどうしても手放したくない人材だとか、すでに相当な実績がある人の場合は福利厚生も手厚くなるし、高い報酬を提示することが多いです。

転職が頻繁な社会なので、良い条件を出しておかないとすぐに転職されてしまいます。

またアメリカの考えでは有給の病欠や産休育休といった働く人に不可欠な休暇も「その人の実力と会社との交渉によって得られるもの」と考えられているのです。

だから能力が低かったりお金を稼ぐことができなかったりする人は福利厚生がひどい状況に甘んじるほかないのです。最低限の労働環境を国が提供し費用をみんなから集めた税金で福利厚生を負担するというヨーロッパ的な考え方とはかなり異なるものです。

ヨーロッパの西側はずっと資本主義ですが、国が社会資本や福祉を負担するという考えがある点では社会主義的な側面があるということがいえます。日本はある意味でヨーロッパ的な福祉を提供していますが、雇用に関しては非正規社員が増えているのでアメリカとヨーロッパの中間のような感じといえるでしょう。

つまり日本の人々が日本の福祉が充実していないという割には、アメリカほど厳しい仕組みにはなっていないということです。日本人は実際に各国の制度をきちんと調べていないし現地で体験しているわけではないので、こういったズレた主張をすることになるのです。

健康診断、それっていったい何なの?

日本人にとって会社で育休や産休があることは今や当たり前ですが、そのほかに当たり前のことと思われていることに「健康診断」があります。

日本では職場で健康診断が年に一回義務づけられています。それどころか多くの職場では、もっと細かい検査をする人間ドックへの補助があるのがめずらしくありません。自費での支払いは三万円とか一〇万円近くかかるサービスを健康保険組合や会社からの補助金で大幅にカバーしてもらえるので、たいへんお得な制度ですね。

働いていない人には役所からの補助がある場合もあります。それに日本の自治体では無料や激安の健康診断やがん検診、婦人科検診も提供しています。またそして学校でも健康診断があり、学校に医師や看護師の方が来てくれて懇切丁寧な健診をしてくれます。歯科健診があるのも当たり前。歯磨きの指導まであるので至れり尽くせりです。

ところが他の国では日本のような法定の健康診断はないのが当たり前です。先進国であれば入社条件として健康診断を会社負担で受ける場合もあります。これは法律で決まっているわけではなく、会社によってまちまちなことが少なくありません。

また入社の際に健康診断をやる理由は、その従業員が退職する際に会社の仕事のせいで健康を害したというクレームに対応するためです。既往症やもともと精神病がある人がそれを隠して入社し、働き始めてからこれは会社の責任だといって訴訟を起こすことがあるからです。よって退職時に健康診断を受けさせることもあります。つまり従業員の健康維持のためではなく、あくまで訴訟対策としてなのです。

そして多くの国では学校で健康診断がないこともごく当たり前です。自治体での健康診断やがん検診もやっていません。医療費が無料の国では普段から病院での治療や診断を受けることすらかなり難しく、深刻な病気の検査でも半年ぐらい待たされたりします。無料だからといって健康診断をやってくれるような余裕はないのです。

学校でも子どもの健康維持は学校の義務ではなく、親の責任なので健康診断などやりません。先生もいちいち子どもの健康状態を観察はしません。具合が悪いのは親と本人の責任です。なぜ日本だけがこんなに健康診断が大好きかというと、これは歴史的な経緯を考えてみるとわかりやすいです。

かつて日本は感染症がたいへん多い国で、アメリカやヨーロッパ北部に比べると熱帯に近い亜熱帯気候なので病気で具合が悪くて亡くなる人が多かったのです。特にそういった感染症が爆発したのは工場や学校でした。開国して文明開化と産業革命により農村から多くの人が都市部や工業地帯に集まるようになり、人が集まれば病気も広がります。かなり厳しい労働により多くの人が健康を害するようになりました。公害も大きな問題でした。病気になると健全な工業生産は無理なので、健康状態の維持や予防医学が重要視されるようになったのです。そして健康な人々は富国強兵にもたいへん重要です。健康管理を個人の責任にするよりも、国がある程度の責任を有していたほうが効率的と考えられてきたのでしょう。これは理にかなった考え方でした。

日本は短期間で衛生状態が向上し、昭和三〇年代から四〇年代の公害問題も克服しました。現在では世界で最も平均寿命の長い国のひとつです。コロナ禍でも死亡者の数が他の国に比べて少なかったのは、健康診断が普及しており、予防に対する意識が高いのもあるのではないでしょうか。

イギリスは更年期の女性に配慮した制服を提供せず訴訟に

日本ではあまりメディアに出ることがありませんが、イギリスでここ一〇年ほど話題になっているのが女性の更年期です。

イギリスは日本と違い職場で中年以上の女性が大活躍しています。一般的な会社でも管理職は女性の方も多いですし、メディアの場合は編集者や番組プロデューサーなどは中年・熟年の女性がかなりその職に就いています。

日本だったら若い女性だらけの仕事を中年や熟年以上の女性がやることも多いのです。女性は年齢を経て出産や育児で体型や体調が変わります。特に五〇代以上はその変化が顕著です。体型に似合う服や快適に感じる服も若い時とは違います。

これは制服に関しても同じで、年を経た女性たちに若い人向けの制服を着せることは不快感が増すだけで仕事の生産性が下がってしまいます。

イギリスでは更年期を迎えた女性が、二〇一〇年平等法（Equality Act 2010）において、更年期の女性に対して職場が配慮しない場合に訴訟を起こすことができます。

たとえば企業が五〇歳以上の女性に向かない制服の着用を強要したり、更年期の人が休暇を取れないような措置をしたりした場合、「性別、障害、年令に対する差別」で損害賠償を請求することができるのです。

そのためイギリスでは二〇二一年には二〇二〇年に比べ、更年期に関連した差別での訴えが一年間で四一％も増加しています。

訴えた例のひとつでは、更年期でほてりと発汗のある女性が、苦しいので制服の上のボタンを外していたら職場で叱責されたので、これを「差別である」と主張しました。更年期の女性が苦しく思うような繊維、形などの制服は差別に当たるわけです。

この例がたいへん興味深い点は、中高年の女性に対する差別があくまで「更年期の身体的な苦しさ」への配慮にあり、最近流行のジェンダーやＬＧＢＴＱのような観念的なものではないことです。まだ更年期は女性だけではなく男性にも起こるし、職場における制服や働き方の配慮は、病気や障害がある人にとっても重要で、働く人の平均年齢が上がっている職場も多いので、このような訴えは重要ですね。

マッサージ店がやたらと多い日本

外国人が日本に来て驚くことのひとつに、日本では街中にやたらとマッサージ店があることです。足つぼマッサージだけではなく、ごく普通のマッサージや整体、ロミロミマッサージ、タイ式マッサージなど、あらゆる種類のマッサージが提供されています。

駅中やデパートの中、ショッピングモールにも必ずといっていいほどマッサージ店があります。そして一〇分などといった短時間からも施術を受けることができ、予約が必要ない店舗が多いです。人気があるところはいつも大盛況で順番待ちになっているところもありますね。

街中にマッサージ店がこんなにあるのはおそらく世界でも日本だけです。マッサージで有名なタイに出かけてもここまでの数はありません。

アメリカやヨーロッパの場合は日本のように手軽にマッサージを受ける場所はあまりなく、あっても郊外にあるクリニックだったり、高級エステサロンに併設されていて値段がかなり高かったりします。

また予約も数日前とか一週間前や二週間前に入れるのが前提だったりします。マッサージをやってくれる人の数が少ないですから、当日になってキャンセルになってしまうことも結構あるのです。

エステサロン併設でなくても、欧米では値段が日本の二倍から三倍程度のこともめずらしくありません。そして値段が比較的安い店でも、実は日本と値段はあまり変わらなかったりします。

なぜ日本にはこんなにもマッサージ店があるのか——。

日本人は他の国の人よりも肩・腰・足が凝りやすいのかもしれません。日本は湿気が多いのでどうしても体が疲れやすいというのもあると思います。また温泉やお風呂が大好きなように、やたらと身体に何かの刺激を与えることを好みます。お店に行けばツボを刺激するグッズや頭をマッサージするグッズなどが狭い売り場に並んでいます。

自分で手軽にお灸ができるセットも売っていますね。皮膚にペタッとあのお灸セットを貼り付けて、いきなり火をつけるという恐ろしいことをやるとアメリカやヨーロッパの人の中にはドン引きする人も少なくありません。そんな熱くて痛そうなことをやる人たちはあまりいないからです。鍼《はり》もビックリされますよ。

意外ですが、お灸が盛んな感じがする台湾や中国大陸でも日本ほどお灸をしません。私が台湾と中国大陸に居候していた頃、本場でぜひ足つぼマッサージや鍼灸を体験したいというと友人たちや知り合いが「何でそんな年寄りがやることをやりたがるのか不思議でならない」といっています。たしかにヨーロッパでも台湾でも中国大陸でも、マッサージ店に行くと来ているのは年寄りだらけです。

マッサージ店がないわけではなく、私はハンガリーからイギリス、ドイツ、イタリア、フランス、タイ、ロシア、台湾、ネパールと実にさまざまな国で、これまたいろいろなマッサージを体験していますが、やはりお客はヨレヨレの年寄りしかおりません。

そしてどの国でもマッサージに行くと「お客さん、どこか体が悪いんですか。あなたは総合的な健康診断を受けてからマッサージをやったほうがいい」と心配されるのです。たしかに他の国ではイタリアを代表にマッサージを受ける前には、まず問診を受けなければなりません。

だから外国人が日本に大量にあるマッサージ店を見て、そんなショッピングモールの片隅でよく営業許可が出たなぁと驚いている人も結構いるのです。マッサージは医療行為にあたりますので、マッサージをやる場所に関しても規制があったりします。それほどマッサージを受けたいという需要があるんですね。

このように日本へ来た外国人はアチコチにあるマッサージ店へ徐々に通うようになり、通い始めるとその気持ち良さの虜《とりこ》となり、比較的値段も安いので結局レギュラーになってしまうのです。

駅員が華奢な女性は日本だけ!?

海外の人が日本に来て驚くことに、駅や空港、ホテルで働く女性が小柄で華奢《きゃしゃ》な人がけっこういることです。しかも二〇代の若くて綺麗な女性が駅や空港での荷物担当をされている。これは他の先進国の感覚からするとかなり驚かれることです。

なぜなら彼女たちは身体が小さくて、いかにも体力がなさそうで乗客の制御や荷物の運搬などは十分にできないだろうと思われるのに、それらをこなしているからです。しかも空港やホテルに至っては、なぜかヒールを履いて重い荷物を持ち上げたりしているのです。他の先進国であったなら、身体が大きく軍隊でも通用しそうな若い男性や中高年の男性の仕事です。

これは女性を保護しているからというわけではなく、単にそういう人でないと仕事が務まらないからだと思います。また駅でも同様で屈強な感じの人がやっています。

駅には不特定多数の人が来るしテロや暴力事件も発生するので屈強な人でないと緊急時に対応ができないからです。他の国でも女性は駅構内で働く場合、体格的に身長が一八〇センチ前後あり体重一〇〇キロぐらいの人が担当されています。ところが日本は他の国の感覚だと小学生にしか見えないような女性にやらせているのです。

これは職業の多様性というよりも、適材適所の人選をしていないということです。

激戦地の前線に、華奢な女性が加わった軍隊を送り込む国はありません。重い装備を背負って戦闘行為をやるのが物理的に無理だからです。戦闘できない兵士を配置したら負けます。ところが日本の企業はこれと同じようなことを職場でやっているのです。

適材適所といえばイギリスの場合、たとえば救急隊員は女性二人組ということがかなりあります。夜のシフトも女性二人だけでやっていることがある。ところが女性といってもやはり身長が一八〇センチほどあり、体重が一〇〇キロ近い屈強な女性たちです。

彼女たちはかなり高度な訓練を受けているので、日本だと医師でなければできないような作業もこなすことができます。イギリスの救急隊員は泥酔した患者や暴力を振るってくる人に対処しなければならないし、患者さんが大きいのでこのような屈強な人でなければ務まりません。男性も同じような体格で強そうな人ばかりです。

イギリスは常日頃、警官は銃を持っていませんが武装警官隊がいます。テロの犯人が出没したという通報が駅や市街地であると、セミオートのマシンガンで武装した警官がすぐに飛んでくるのですが、そのなかには女性もいます。専門訓練を受けた人々で駅に駆けつけた際はすでに構えの姿勢です。犯人を射殺することが前提だからです。

女性もこういった業務に就いています。ただし彼女たちは女性だから選ばれているというわけではなく、必要な業務をこなせるから仕事を任されているに過ぎません。

適材適所で仕事をやるのに最適な人を選ぶ。その際に無関係な属性や性別は気にしない。これこそが本当の多様性ではないでしょうか。しかし日本で騒がれている多様性というのは、見た目ばかりを満たせばよいという表面的なもので、業績やアウトプットをよく考えていないものが多い気がするのです。

お骨を拾う日本の葬式は海外で奇祭として研究

日本ではお葬式のあとに火葬するのが一般的です。そして火葬が終わったあとは葬儀参列者のほとんどが参加して身内で「お骨《こつ》拾い」をやりますが、こんなことは世界広しといえど、日本だけではないでしょうか。

故人様のご遺体を火葬し、その直後にみんなでお骨をじっくりと見回してコメントを述べたうえに参列者全員、一人ひとり箸を使って、焼かれた骨を拾って骨壷に詰めるという作業をやる国は大変めずらしいのです。

特に外国人が驚愕するのが、お骨をみんなで眺め、いろいろコメントを述べるというシーンです。火葬場では「ここは喉仏です」と説明したり、「お義父さんは栄養が良かったからお骨もご立派よね～」と、お葬式の定番の雑談として言ったりするのですが、外国の人からすると「なんとまぁホラーなことをやっているんだろうか……」とあっけにとられてドン引き状態です。

また日本人はどうもお骨に対するこだわりが強くあるらしく、お骨を墓へと移す際に大きな金額がかかったり、身内で揉めたり、分骨をやったりと、遺骨に対して大変なこだわりがあるのがよくわかります。他の宗教や地域だとこの辺はさらっとしています。

ここには死生観の違いというのがあるのではないかと思われます。日本のこのような葬儀のあれこれは海外の社会学者や文化人類学者により考察の対象となっており「大変独自かつ、めずらしい葬儀」として研究の対象になっているのです。

明らかに東アジアの他の国々とは異なっており、仏教国としても他の国とは異なる慣習が存在しています。また日本人のご遺体に対する感覚や死生観は、どちらかといえば、大陸よりもポリネシアや自然信仰に近い感じなのです。

日本では安倍さんが亡くなった際に「鳥葬にしろ！」と揶揄を含んだ意味合いでコメントしている左翼系のコメンテーターがいましたが、実は日本のその辺でおこなわれている葬儀こそ鳥葬に該当する「奇祭」と思われていることは知っておいたほうがよろしいでしょう。

お客さんにお茶すら出さないスウェーデン人

日本では家にお客さまが来ると、お客さま用の茶器を用意したりして美味しいお菓子を出したり、ちょっとした訪問でもおもてなしをすることが当たり前ですが、これも土地が変わればさまざまで、お客が来ても水すら出さないというときもあります。

これで最近話題になったのがスウェーデンです。「Twitter」で子どもの友だちが家に遊びに来たのに、お茶すら出さないスウェーデン人のケチぶりが話題になりました。

イギリス、オランダ、ドイツなども似た傾向にありますが、スウェーデンほど徹底してはいません。一番近いといえばどケチで有名なオランダなのですが、それでも一応水ぐらいは出しますからスウェーデンよりはマシということでしょう。

イギリスの場合は一応マグカップに入ったティーバッグのお茶とビスケットぐらいは出します。ただしイギリスの場合はディナーパーティーでも出てくるものが、ぶった切ったただけの生野菜にピザとか、日本の感覚のおもてなしだと、ちょっとこれはいかがなものかというものだったりすることがあります。

なぜスウェーデンではお客さまがいらしてもどこ吹く風でなんにも出さないかといえば、ヨーロッパ北部の考え方が根っこにあります。個人の独立や自主性を重んじる習慣がベースにあるので、食事やお茶を出すと、出されたほうがなんらかの義務感を生じてしまい負担になるので、気を遣ってなにも出さないのです。

もてなすのとはやり方は違いますが、相手を気遣った考え方であるということがいえます。こういう考え方が北欧では汚職の少なさや透明性の高さにつながっているところがあります。ドライではありますが、情や義務感に頼らず、あくまでフェアな関係を保とうとする考え方です。

一方、インド、トルコ、サウジアラビア、モロッコなど南部の国々では、旅人や見ず知らずの人にもお茶や食事を振る舞うのが礼儀です。サウジアラビアでは国勢調査員が各家庭で食事を出されるので困ったという話まであります。

たしかにトルコの人のおもてなしとホスピタリティは本当に素晴らしく、私が以前に地域の集まりで顔見知りになったトルコ人は次の会合の際に、わざわざ家からトルコ料理やフルのお茶セットを持ってきて参加者みんなに振る舞っていました。

シリアやリビア、アルジェリアの人たちも、知り合ったばかりであっても「ご飯を食べていきなさい、一緒にお茶を飲みましょう」と、とても気を遣ってくださいます。ヨーロッパでもギリシャやブルガリア、フランス南部、イタリア南部は中東や南アジアの感覚に近いのです。特にギリシャのホスピタリティはとても有名でこれがおもしろいのが、イギリスやアメリカに移民した二世や三世の人でも、おもてなしに熱心だったりすることです。土地が違うと習慣や気を遣うポイントが異なるわけですね。

ロシア人を怖がらない日本の謎

海外の人がビックリすることに、日本はロシアの隣なのにもかかわらず、ロシアをまったく怖がってないという点があります。

日本のアニメやサブカルチャーにはロシアネタが登場し、ロシア料理やロシア民謡に親しんでいる人もいるのです。ただこれが別に強制されたとかいうわけでなく、異文化として隣国ロシアに興味を持っている人が多いという点です。だから今回のウクライナ侵攻においても、どうもピンと来ていない人がまだまだ多いような気がします。

日本人のこうした感覚は長年、反ロシア、反共産主義をやってきたアメリカやヨーロッパ北部の人も驚くのですが、ロシアの脅威にさらされている東欧やバルト三国、北欧からするともっとドン引きです。これらの国はウクライナのようにロシアによって強制的に併合され、国民がかなり凄惨なやり方で多数犠牲になっているからです。

フィンランドのテレビ局である「Yle」の二〇二二年の調査によれば、気候変動よりもロシアが怖いフィンランド人が増えているのです。

フィンランドはロシアの隣に位置するため、ウクライナに対する攻撃が自国に広がることを懸念する人が多く、家族や友だちが徴兵されて戦場に行くことを恐れている人が多いのです。特に若者の間では恐怖があり、これまで関心の高かった気候変動に関する興味が急落し、中年以上の人々は冷戦の記憶が戻ってきたと話しています。フィンランドは女性の徴兵を開始するという話もあるほどです。

フィンランドはロシアと陸つづきで、ロシアの部分的動員令が発令された後にも徴兵を避けたい人が大量に移動してきましたが、海を隔てているとはいっても日本はロシアの隣の国で、実は日本から一番近い外国はロシアともいえるのです。しかも軍港であるウラジオストックがすぐそこです。

それなのにまったく緊張感がなく、いまだに書店にはロシア関係のサブカルチャー本が置いてあるような日本にヨーロッパの人々は不思議な印象を受けるでしょう。

やたらと投資額が大きい海外のＩＴ／しょぼい日本

最近日本ではニトリホールディングスがＩＴ部門の人材に高額報酬を支払い、人員数を現状の三倍に増やすと発表したことが話題になっています。日本企業の中にもやっと積極的なＩＴ投資をする企業が出てきているのです。ところが日本におけるＩＴ投資は他の先進国に比べても著しく少なくなっており、ごく少数の企業が積極的に投資をしても国全体としての総量が少ないという事実は変わりません。

総務省の調査によれば、日米の国内総生産（ＧＤＰ）で比較した場合、日本は一九九四年から二〇一五年までは五〇〇兆円前半と横ばいなのですが、アメリカは約七・三兆ドルから約一八兆ドルとなんと二・五倍程度の増加なのです。

つまりアメリカはインターネットバブルの前からＩＴ投資を継続し、現在も増やしていることになります。またＩＴ投資の内訳に関しても総務省の調査では、アメリカはパッケージソフトへの投資が半分近くになっているが、日本は受託開発のシステムが多く、市販のシステムやソフトウェアを使うことが少ないと指摘しています。

これは実際現場にいる方であればご存知のことだとは思いますが、こういった日本と海外のＩＴ投資の違いについて「なぜそうなるのか」という文化的な側面からの分析は少ないように思います。

日本の企業はなぜアメリカやイギリスのような大胆なＩＴ投資をおこなわず、さらに既存のパッケージソフトやクラウドサービスの活用がなかなか進まないのか――。

合理的に判断した場合はアメリカやイギリス式に相手にどんどん投資をし、市販品のソフトウェアやクラウドを使ったほうが生産性は高くなるのですが、なぜか日本ではそういった合理的な判断が下されません。その理由は実際に日本、アメリカ、イギリスの組織で仕事をしてきた私から見るとよくわかります。

アメリカとイギリスの場合、ＩＴ投資の際にシステムやビジネスプロセスを合わせてしまいます。独自性を極力排除し市場の成功例を集め、それを組織に当てはめるのです。ＩＴ投資をして生産性を上げる部分はロジスティックス、コミュニケーション、文書管理など「兵站《へいたん》」の部分で、そこで特に独自性を出す必要性はありません。プロセスをきちんと管理すれば生産性は数値で現れるので費用対効果も見やすいのです。

ところが日本の場合はこの部分でなぜか各企業で独自性を出そうとして、既存のシステムを改変して使用し受託開発を外部のシステム開発業者に依頼してしまいます。

なぜそうなるかというと結局、人の流動性が低いため、しがらみに縛られた組織が多いためです。そして前任者や関係者の顔や立場をつぶさないために既存の古いシステムやビジネスプロセスを使い続けるのです。

「調和を保つ」といえば良い意味になりますが、ビジネスの文脈でいうのであれば「生産性が低い」ということになります。イギリスとアメリカの場合は人の流動性が高いですから、役職の変更や転職の際に、一気に古いシステムを廃止し、ビジネスプロセスを大幅に変更してシステムを刷新してしまいます。

その際に業務に携わる人もすべて入れ替え、しがらみや人間関係を断ち切る代わりに生産性を優先するのです。しかも結果は数値で出ますので納得するものとなります。

これは結局イギリスとアメリカは、職場はあくまで利益を最大化し自分はその分け前をもらう場所に過ぎないと認識しているからです。ところが日本の場合は会社が利益を最大化するところではなく、自分のアイデンティティを確認し所属を確保する生活の場であり、生産性よりも人間関係を優先してしまうのです。

戦後の日本は戦中の国土破壊によって新しい生産設備が導入され、戦争により労働人口が大きく失われ、しがらみがない若い人々が製造業で活躍することになりました。

ところが今の日本は全体が高齢化し、成功体験を引きずった世代が多いので昔のシステムをスクラップすることができず、人の流動性も低いですからアメリカやイギリスのように大胆なＩＴ投資で生産性を高めることができないのです。つまり日本がＩＴ投資で生産性を高めるには、雇用規制を緩和し人の流動性を高める他ありません。

第10章　世界の「エンタメ最新事情」を日本人は何も知らない

サブスクがオワコンになりつつある

コロナ禍のさなかに最も話題になったことは、多くの人々がインターネットによる定額料金で動画や音楽などを楽しめる「サブスク」（サブスクリプションサービス）に加入したことです。イギリスでは「Barclaycard」の調査によると、二〇二一年には八〇％の家庭がなんらかのサブスクサービスを契約したことが判明しています。

サブスクが流行り始めたのは二〇一一年ぐらいからでコロナ禍の前からプチ流行していました。動画や音楽だけではなくコーヒーや服、使い捨てカミソリ、お食事セットなどのサブスクが次々にあらわれ、欧米では日本よりも大人気だったのです。

なぜサブスクがそんなに流行り始めたかというと、市場には多くの品物やサービスがありすぎて、消費者はいったい何を選んでよいかわからないからです。サブスクサービスの売りのひとつが専門家やセレブがナイスなものを選んで定期的に送ってくれるというものでした。さらに海外の場合は日本と異なる事情があります。

欧米では日本よりも店が少ないので買い物が不便であり、ネットで注文し宅配便で取り寄せたほうが楽なのです。これはライフスタイルの変化にもリンクしており、特に先進国はこのところ共働きが増え労働時間も増加傾向の人が少なくないからです。

仕事をめぐる競争は激しく、外で買い物する暇がない人も多い。自分へのご褒美として、気に入ったものをサブスクで買っている人がけっこういたのです。

動画や音楽に関しても同じで、インターネットでさまざまなものを楽しめるようになったけど、いったい何を見たり聞いたりするべきかわからない人があまりにも多いため、プッシュ型サブスクでコンテンツが提供されるのはたいへん便利だったわけです。

それに時代の変化で映画館やＤＶＤストア、レンタル店は次々と消えてしまいました。

そのため欧米の場合はＤＶＤやＣＤを売る店がほとんどない町が増えています。ロンドンでさえもＣＤやＤＶＤの店がほとんどなくなってしまいました。

映画館も集約化が進んでシネコンは点々とあるのですが、ちょっとニッチな作品を上映するようなアートハウス系の映画館はどんどん潰れています。そうなると映画や音楽を入手する先がインターネットしかないのです。

海賊版や無料の動画と音楽もインターネット上には溢れていますが、品質が悪かったり完全版ではなかったりするので、お金を払っても品質が良いものを楽しみたい人たちが増えてきたのです。これは世代にも関係があります。サブスクを申し込む人は比較的お金がある中年以上の人が多く、重視するのは値段よりも品質や時間です。

「Netflix」は二〇二二年の第一四半期には九七万人もの視聴者を失い、株価は四〇%も低下しました。その後、株価は盛り返しますが、急激なインフレと光熱費の高騰に悩む消費者は次々に解約しています。イギリスの調査会社「Ampere Analysis」の分析によれば、特に解約が目立つのは若くて収入が低いユーザーです。

「Netflix」が大人気になった理由は、欧米ではケーブルテレビや衛星テレビのサブスク費用が高かったので「Netflix」が安い代替品により、「Netflix」でしか観ることができないおもしろいドラマやアニメ、映画が放映されていたからです。

ところが徐々に値上げしたため、今では動画サブスクサービスの中では最も高額です。しかも「Disney Plus」や「HBO Max」「Amazon Prime Video」には「Netflix」に含まれるものよりメジャーな作品やニッチなものもあります。だから「Netflix」を契約する意味がないのです。

「PP Foresight」のパオロ・ペスカトーレ氏は二〇二二年七月「Financial Times」のインタビューで「生活費の高騰はすべてのサービスに影響を与えている」と答えています。

また「Kantar」の「Global Issues Barometer」が実施した調査では、世界の四〇%近い家庭が今年はエンタメ用のサブスク出費をカットすると答えているのです。「Netflix」の不調はハリウッドで「Great Netflix Correction」と呼ばれています。もはや「Netflix」は目新しいものではなく、他のストリーミングサービスとの違いがあまりなく、今では「コモディティ化」された商品になってしまったのです。

これを他のものに例えると「Netflix」はかつて限定品フィギュアだったのに、現在ではホームセンターに並ぶ割り箸のひとつに過ぎないということです。

世界で警戒されるTikTok

日本では二〇二二年にデジタル庁が動画共有アプリ「TikTok」をマイナンバーの広

報活動に利用しましたが、利用に関して疑問の声が湧きあがり、河野太郎デジタル相は釈明に追われました。

なぜか日本であまり報道されていないのですが、アメリカやヨーロッパではかなり前から「TikTok」の危険性が大々的に報道されることが増えてきており、機密情報を扱う企業や政府、軍などでは利用を禁止しているところが増加しているのです。

特に同社の危険性を重要視しているのはアメリカです。

セキュリティ専門家からの指摘を受けて、アメリカ軍は二〇一九年後半から「TikTok」の使用を禁止し、運輸保安庁など複数の政府機関も禁止しました。

二〇二二年九月には上院の国家安全保障委員会で、「TikTok」COOのバネッサ・パパスが「Meta」のクリス・コックスとともに証言に呼び出され「TikTok」と「Facebook」のアメリカ国家安全保障に対する影響、特に国内の過激派への影響、中国との関係、児童虐待に関するコンテンツに関して質問されました。

パパスは上院議員から、「TikTok」の親会社は中国にある「ByteDance」である件、また「ByteDance」の社員が「TikTok」ユーザーの情報へ自由にアクセスできる件に関しての回答をぼやかしました。また同社において何名がユーザーの安全に関与する業務に関わっているかの回答も拒否しています。

このような厳しい質問は「TikTok」が、これまでアメリカのユーザーのデータはアメリカに保存し、中国には保存していないと主張してきたためです。

ところが二〇二二年六月のアメリカのニュースサイト「BuzzFeed」のスクープによれば、外部に漏洩した八〇以上の内部会議の音声データによると、同社の親会社である「ByteDance」は中国からアメリカのユーザーのデータにアクセスしており、中国にいるエンジニアたちは「すべてのアメリカのユーザーのデータ」のアクセスが可能で、つまり同社は堂々と嘘をついていたのです。しかもデータアクセスは本社の「ByteDance」の北京オフィスから受けていたとまで述べています。

会議のいくつかには「TikTok」が雇用した外部監査人の発言が含まれており、監査人がはっきりと同社の行為を証言しているのです。

アメリカ政府の対外投資委員会は国家安全保障の観点から二〇一九年に「TikTok」のデータアクセスに関する調査を開始し、ドナルド・トランプ元大統領は二〇二〇年八月六日の大統領令において、「TikTok」は親会社の「ByteDance」経由で中国政府がアメリカ人のデータを使用する可能性があるためアメリカで禁止すると警告を出しています。ところが同社は、中国政府はデータを見たことがないと主張していたのです。

つまりこの流れからは、ドナルド・トランプ元大統領が「TikTok」をアメリカで禁止すべきだと述べていた理由の裏づけがあったことが判明しました。トランプ元大統領は思いつきで過激なことを述べていたわけではなく、きちんとした裏づけがあったのです。ただし当時は、マスコミはこぞって「過激すぎる」「差別的だ」という調子の報道を繰り返していました。

「TikTok」では二〇二〇年、二〇二一年にも中国のエンジニアがアメリカのユーザーのデータに堂々とアクセス可能だったので、アメリカ政府の調査がおこなわれていたのにもかかわらず無視して従来どおりのオペレーションをやっていたことになります。

この事件がアメリカで大きく扱われ、アメリカ議会でも重要事項として取り扱われている理由は、中国政府が大規模なテクノロジー企業に対する締め付けを強化しており、中国共産党の命令に従わざるを得ない可能性があるということです。

テクノロジー企業のデータが中国国内でアクセス可能ということは、政府の意向によっては「TikTok」のような企業がデータスパイ（data espionage）と化してしまうことを意味します。ユーザーの氏名、住所、性別、電話番号、支払情報、銀行口座、行動履歴などが筒抜けになってしまうからです。中国政府の意向は外部からはわからないので何がなされているのかわかりません。

さらに問題なのは「TikTok」のような企業のアルゴリズムに対して、中国政府がどのような影響力をもつかということです。「TikTok」のようなアプリは、ユーザーに対して「おすすめ」のコンテンツを出します。何を見せるか、何にアクセスさせるか、何を見せないかを企業側がコントロールできるのです。一〇億人以上のユーザーに見せるコンテンツを操作できるので、選挙戦や世論形成には大きな影響があります。

上院議員のテッド・クルーズ氏は「『TikTok』は中国政府が使用できるトロイの木馬だ。アメリカ人が見るもの、聞くものをコントロールできて、最終的に何を考えるかも支配できるからだ」とコメントしています。

アメリカ議会での指摘を受けイギリス議会も二〇二二年に開設したばかりの「TikTok」

のアカウントを停止しています。また保守党の議員が議会に対して文書で「TikTok」の危険性を指摘しており、新しく首相に選ばれ、すぐに辞職したリズ・トラス首相も「そのような会社は取り締まっていく」と述べています。

このようにリスクが議論されている「TikTok」を、なぜ今になって日本政府が広報活動に活発的に利用するのか疑問がわいてきます。日本でも政府が使うアプリやシステムはセキュリティの観点から議論する機会を増やすべきでしょう。

ヨーロッパの最先端はル・ヤンキー

フランスでは二〇一九年から二〇二二年の間に漫画の売り上げが二倍となり、「GfK」によれば「出版業界で最もダイナミックなジャンル」と言われています。二〇二一年の前半だけで、漫画の売り上げは一五％増加し、他のすべての分野の書籍は三％から一〇％のマイナスだったのと比べて驚異的な増加です。

このような漫画人気のなかで最も人気がある作品のひとつが「東京卍リベンジャーズ」

です。この作品は二〇代半ばの主人公が、ある事件から一二年前にタイムトリップし、中身は大人のままで当時のヤンキーが抗争に明け暮れた様子を描いたものです。

一九八〇年代のヤンキー漫画に親しんだ世代には懐かしい感じもするのですが、現代風のスタイルにタイムトリップを絡ませたストーリーもあり、ネオヤンキーという感じの内容です。この作品の人気は海外でのヤンキー文化の認知度向上と、ヤンキーというものがファッションのスタイルとして確立される流れを後押ししています。

二〇二二年夏にフランスで開催された「Japan Expo」でも「東京卍リベンジャーズ」のコスプレが大人気で、会場には特攻服が溢れました。イギリスやイタリアでも人気で、「Amazon」でもかなり質の高い「東京卍リベンジャーズ」のコスプレ衣装が手に入ります。コスプレ用に木刀やヤンキー仕様のスウェット、特攻服も入手できます。

コスプレイヤーの中でもヤンキー、不良ジャンルが人気で「seiko cosplay」さんのように完成度の高いコスプレを披露する人もいます。特攻服には「天上天下唯我独尊」と書いてあります。これ以前にも日本の「Furyo」（不良）スタイルと「Yankii」（ヤンキー、YanKeeとは書かない）スタイルは、思い切り改造された族車、旧車などを愛する界隈で、ある意味ニッチな人気がありました。

ジャパンにはヤンキーというクールな人々がクールなファッションとライフスタイルを持っているということが一般的に認知されるようになったのは「東京卍リベンジャーズ」の影響が強いというほかありません。

とはいえ日本と異なるのはあくまでも「Furyo」と「Yankii」は「新しいファッション」のスタイルであり、「日本発祥のクールなもの」という扱いで流行に敏感な最先端の人々が超注目する分野です。

たとえばファッション誌の「Fashion Magazine 24」は「Hanchi」というブランドを訪問した二〇二〇年一〇月五日の記事で、「Yankii」を取り上げています。

この記事では「Yankii」について以下のように定義しています。

「Yankiiとは何を定義するのか？　日本では『Yankii』という言葉は社会規範の硬直性を拒否する行動の意味である。階級の定義に対して反抗する若者のサブカルチャーであった」

さらに「Pinterest」には「Yankii」「Furyo」「Bosozoku」の写真をコレクションする

海外の若い人がかなりいるのですが、彼らは現地のギャングスタではなく比較的お金があって、ファッションに敏感なオサレ系意識が高い層です。

欧米だけではなく、タイなどの東南アジアでも、比較的裕福な若い人が、意識高いオシャレとしてヤンキーや暴走族のコスプレに取り組んでいます。

また「Twitter」ユーザーの「@LeonBrando」さんはスイスの男性ですが、「Furyo文化」を愛しており、アカウントのアイコンでも竹刀を抱えバリバリに決めたヤンキースタイルを披露しています。あくまで「ヤンキー」「不良」「暴走族」は、「日本発で権威に挑戦し、ルールにとらわれない自由でおしゃれなスタイル」という感覚なのです。

しかし、なぜ「ヤンキー」「不良」「暴走族」がヨーロッパでは特にフランスで大人気となり海外で受けるのか――これらは他の国には存在しない日本的な「文化」であるからです。そして他の国にも不良文化や不良ファッションがあります。

欧米の「不良」はイコール本格的な犯罪者であり、窃盗や麻薬取引が本業だったりします。ところが日本のマンガやアニメに登場する「不良」や「ヤンキー」はあくまでも〝ツッパリ〟であり、窃盗や殺人を繰り返す欧米の犯罪者とは一線を画しているのです。

Robloxで世界史を学ぶ子どもたち

ヨーロッパやアメリカの子どもたちの間で現在、大人気なゲームが「Roblox」です。これはただのゲームではありません。ユーザーたちはお手軽に自分たちでキャラクターをデザインしゲーム自体を創って他のユーザーたちと遊べるＲＰＧゲームです。

ゲームの中で使用するアイテムをデザインして販売することもできるので、ちょっとしたお小遣い稼ぎをしている子どももいます。コンソールゲームも相変わらず人気なのですが、デジタルネイティブの子どもたちにはこういう自由度の高いゲームのほうがウケは良いようです。「Roblox」は基本的に無料なので「iPhone」やパソコンがあれば遊べて、高価なコンソールやソフトウェアが必要ありません。

しかも子どもたちが自分で勝手に創ったゲームが大量にあるので、予想もしないようなメチャクチャなコンセプトのゲームがあったり、やり方がわからなかったりするのも魅力です。とにかくアナーキーなのです。

この「Roblox」は大人が予想しないような意外な使い方もされています。

なんと歴史に興味のある子どもたちは、歴史的に有名な戦闘や政治などをモチーフにゲームを創り、そのゲームの中のキャラクターや背景、プレイの場面などを切り取って「YouTube」に上げて、ユーザー同士でコメントをつけて遊んでいるのです。

ここで興味深いのが、欧米の子どもたちに大人気な戦争のモチーフがなんと旧日本軍なのです。その内容はけっこう本格的で、戦時中の軍歌や日本軍の軍服を引っ張ってきて、日章旗まで付けてゲームにしているのです。別に日本の愛国主義を信奉しているというわけではなく、ただ単にアイテムとして他の国とはデザインも違うし、なんだか歌も変わっているからということで使っているようなのです。

子どもが創っているのでゲームのストーリーはメチャクチャですが、なぜか日本軍は近隣のアジア諸国や東欧よりも人気があります。日本の軍歌や日章旗、軍服は何か独特な感じがするのでしょう。インターネットでは異常なものや独自性があるものが受ける傾向があり、日本の文化がネット普及し始めてからどんどん広がっているのは、他の国にはない何か独特のものがあるからでしょう。

また明らかに「鬼滅の刃」「東京卍リベンジャーズ」「グラップラー刃牙《バキ》」などアニメ

の影響があると思われます。作品中に時折登場する日本の戦前のもの、日本的なモチーフなどを目にしているので子どもたちには同じような流れに見えるのではないでしょうか。

こういったゲームがおもしろいと思うのはコンソールゲームでは取り扱えないようなニッチな歴史的ネタを取り上げていることです。

どうも子どもたちは先にゲームでそういうネタに触れて「YouTube」の動画などを見てそこでまた別のユーザーと掲示板で交流して、湧いてきたアイデアをもとにまた別のゲームを創るということをやっているようなのです。

彼らはテレビをほとんど見ておらず、創作活動や他ユーザーとの交流ネタが「Roblox」のようなゲームとネットの動画で、それらを元に他のユーザーとチャットや掲示板で交流しているのです。交流する相手が近所の友だちや学校の同級生ではなく、グローバルに広がるユーザーたちなのです。

リアルな友だちとネタにする音楽、一発芸のネタ、ミーム（meme）、有名人も「Roblox」で知った人とか、そこから派生して動画サイトで話題になったものばかりです。

つまり今後、消費者になる若い世代に商品を告知し、サービスをしてもらうのには、このような消費者主導型のゲームや動画サイトなどで認知度を高め、ユーザー同士で交流のネタにしてもらうことができなければ受け入れてもらえないのです。

とはいえ日本の企業はこのような新世代向けの流行のつくり方やマーケティングのやり方をまだまだ理解していないような印象を受けるのです。

ウクライナの戦場に浸透する日本アニメ

ウクライナでの戦争の動画や画像を見て、あることに気がつかれた方がいるのではないでしょうか?

それは前線で戦う兵士のなかに、自分の装備や武器に日本のアニメのキャラを描き、自分で創作した漫画やアニメをＳＮＳに投稿している人がけっこういることです。

昔から戦場で兵士は、兵器や戦闘機にセクシーな女性の絵を描くことがありました。

ところが日本からはるか遠いウクライナで、萌えキャラのアニメの絵を銃や戦車に描いていたりするのです。

ウクライナの前線では、新時代の兵器を使って一九世紀のような古典的な戦いが繰り広げられています。厳しい戦場で負傷率や戦死率も低いとはいえません。

現在は二一世紀なのにもかかわらず、戦闘の現場にはロボットもＡＩ兵器もあまり見当たりません。ソーラーパネルや風力発電は役に立たず、フェミニストが男女平等を叫んでいるのにもかかわらず、兵士のほうもその多くが男性です。

戦場ではここ最近クローズアップされてきた意識の高い事柄や、次世代のなんとかかといったものがまったく無視され、マスコミが騒いでいたあの未来はいったい何だったのかという印象を受けます。ところが一九世紀の独ソ戦のような泥沼の戦場で、日本語もわからない兵士たちが銃や装備に一生懸命手描きで描いているのが日本の萌えアニメのキャラということにある種の感動を覚えないでしょうか。

極限的な状況で彼らが最後に見るかもしれないのが日本のアニメのキャラなのです。ディズニーでもなくスターウォーズでもない。厳しい状況下で癒しを求めるのが、日本人がつくり出したキャラです。ＡＩもロボットも登場しない戦場で色彩がまったくないなかで浮き上がる日本のキャラ。まさにSF的な状況といえますね。

「今」を感じさせるものが、兵士が一生懸命描いた日本のキャラだけなのです。

日本でロシアへの経済制裁が始まったとき、ネットで本当にがっかりしている人たちがいました。それは日本のマンガやアニメを愛するロシアのファンたちでした。

戦争で日本のコンテンツにアクセスすることがとても難しくなります。なかには来日することをとても楽しみにしている人たちもいました。ロシアで日本風の漫画やアニメを創っている作家もいます。

ロシアとウクライナ双方に、こんなにも日本のコンテンツを愛している人たちがおり、ある意味、人生の支えとなっているのです。

日本人が生み出したものが遠くにいる人たちの生活に豊かさを与え、心の支えとなっているということを理解している日本人はいったい何人いるでしょうか。

日本人が世界で果たすことができる役割というのは、まさにこのことだと思うのです。

戦場でフッと浮かび上がるピンク色の髪をした萌えキャラ。それは日本人にしか生み出せないものです。

海外ではＡＩが人間として認識されはじめている

日本ではＡＩがどの程度人間に近づけるのかということが議論されていますが、このところ海外では「ＡＩを自然人として認めるべきか？」が法的な議論として話題になっています。

そのきっかけのひとつがスティーブン・テイラー博士です。自らが開発したＡＩのロボットであるＤＡＢＵＳ（Device for the Autonomous Bootstrapping of Unified Sentience）が「発明した」とされる「食品を入れる容器」と「フラッシュライト」（Food container and devices and methods for attracting enhanced attention）の特許をＡＩの代理人として特許申請した件です。

ほんとうは開発者が「人間」でなく「ＡＩ」で、「ＡＩが特許所有者」になるわけです。通常、特許の申請ができるのは「自然人」なので、これは大きな話題になっています。

テイラー博士はアメリカ、ＥＵ、オーストラリア、ニュージーランドなど、さまざまな国で申請をされていますが、いずれも「申請は自然人に限る」と却下された。ところが、なんと南アフリカはこの特許を認めました。

ここで興味深い点は、この特許の申請が認められたポイントで「発明者は人間に限らなくても良い」という点です。これは技術の発展を推進するには、特許法は柔軟であるべき、という考え方が根底にあるのです。

南アフリカの決定を理解するには、オーストラリアの裁判所での議論も参考になります。特許法で定義する「inventor」（発明者）という単語は、「動詞から派生した言葉で動作を指示し」、「人間」がやるとは定義されておらず、「inventor」は「柔軟に判断されるべき」と議論されているのです。

イギリス知的財産庁には二〇一八年一〇月と一一月にテイラー博士が代理人となって、DABUSが発明した食品の入れ物の特許が申請されているのですが、認められなかったために控訴されており、現在最高裁で審議中です。

この特許に関する各国での議論は特許界だけではなく、自動運転や兵器、システムの世界でも避けられなくなるでしょう。ある程度の判断力と知能を持ったAI自身には責任能力はあるのか、AIが創り出す付加価値の富の所有権は誰にあるのか、AIによるエラーは誰が責任を持つのか、といった点です。

たとえば自動運転でAIが事故を起こした場合の責任を誰が負うのか？

AIが戦争犯罪を起こした場合の責任は究極的に誰が負うのか？

こういった議論は日本ではまだほとんど話題になっていませんが、倫理的な側面も踏まえて早急に議論をすすめるべきでしょう。

第11章　世界の「重大なニュース」を知る方法

情報を調べる方法と見るべき情報

このシリーズでは毎回巻末に「情報を調べる方法」や「どんなものを見るべきか」というおすすめをご紹介してきましたが、今回もみなさんが実際に自分でさまざまな情報を調べるのに便利な情報をご紹介します。

ちなみに以下でご紹介する方法はプロのリサーチャーや経営コンサルタント、研究者や調査ジャーナリストも使っているものです。お金のかかるツールは必要なくインターネットにある無料のサイトやツールを駆使して調査をしているのです。

彼らがなぜ一般の人よりさまざまな情報を得られるかというと、以下のようなことを理解しているからです。

・どんな情報を探すか？
・自分はどんなことに興味を持っているか？
・何を明らかにしたいか？

・欲しい情報を得るのに必要なキーワードは？
・どんな情報に当たるべきか？
・どんな情報源は信用できるか？
・入手した情報を効率的に読む方法は？
・捨てる情報は何か？
・どんな情報を補足するべきか？

彼らはどこでこれらを明らかにする訓練を積むかというと、ほとんどの場合は実務です。つまり仕事の現場や研究の現場でトライ＆エラーを何回も試してみて、自分で発信をしてみたり調査レポートを書いてみたりして徐々にスキルを積み上げていきます。

大学や大学院ではやり方の手がかりやフレームワークは教えますが、細かい部分は自分で体験してスキルを上げていくしかありません。

そして意外なことですが、先ほど申し上げたように調査のプロたちは無料のツールを使って情報に一つひとつ当たり、目視確認してコツコツとさまざまな情報を集めていきます。

大変な忍耐力と尋常ではない好奇心が必要ですから、多くの人は彼らのように情報を集めることができないのです。

地味で忍耐力が必要な作業に耐えること、細かいことにも気をつけること、ちょっとした変化にも目を配ること、そしてさまざまなことに好奇心を持つことです。

普段から幅広い事柄に触れておくことも重要です。意外と関係なさそうなことが、自分が本当に知りたいことにつながってくることもあるからです。

そういう意味では、街に出ていろいろな場所を歩いてみたり、さまざまな映画やドラマを観たりして、自分と感性や属性がまったく異なる人と世間話をしてみるといったことも、たいへん重要なことです。

リサーチのやり方

これまでの〝世界のニュース〟シリーズでも紹介してきましたが、世界のさまざまな情報にアクセスするには「Google」以外の検索エンジンを使ってみるのも重要です。さらにテキスト情報だけではなく、動画や画像なども検索してみてください。「Google」以外のサーチエンジンを使いこなす、有償の論文もしくはニュースを読む、「YouTube」以外の動画ツールを使う、オープンソースのツールを使いこなす、など、他人と異なる情報源にアクセスすることで差がつきます。

検索をする際にはファイルの末尾のエクステンション（拡張子）を工夫することが重要です。govにすればアメリカ政府の情報が出てくるし、pdfにするとＰＤＦのドキュメントが出てきやすくなります。また以下のようなさまざまな検索エンジンを使って結果を比較し、より多くの情報にアクセスしてみてください。

・Bing　Googleとは異なる結果が提示される
・Twitter　リアルタイム情報の検索に便利で検索エンジンとして使える
・Swisscows　プライバシーに配慮したファミリー・フレンドリーな検索エンジン
・DuckDuckGo　プライバシーに配慮した二〇〇八年開始の老舗

・Gibiru　トラッキングされない

・Mojeek　イギリスを拠点とするサイト。Gooleとは異なる結果が提示される

・Brave　Chromeより高速だと言われている

・eTools　スイスの検索エンジン窓口サイト。複数の検索エンジンを取捨選択できる

・Metacafe　変わった動画を探せる

・SlideShare　スライドやＰＤＦの検索に使える

・Boardreader　各国の掲示板のコンテンツを検索できる

・CC Search　著作権フリーのコンテンツ。動画の再利用ができる（営利目的を除く）。動画が見つけやすいというメリットも

・Internet Archive　削除され消滅したサイトの検索に使える

情報検索の裏ワザ

●中立なニュースアグリゲーションサイトを使う

「https://www.improvethenews.org/」

ＭＩＴ（マサチューセッツ工科大学）の研究プロジェクトから生まれたサイトで機械学習により、さまざまなニュースを集約してまとめるサイトです。フィルターバブルや意図的な編集をなるべく避けるようになっているので、より視野は広く公平な視点のニュースを見ることができます。

●Wikipediaを使わない

日本人はリサーチや情報検索の訓練を受けていない、理解していない人があまりにも多いのですが「Wikipedia」は誰でも記入や編集ができるので、間違ったコンテンツが少なくありません。また意図的に嘘の情報を書き込む人や集団で情報コントロールをしようとする人々がいるので避けるべきです。

情報検索の訓練をまったく受けていない人がときどき私に「Wikipedia」のリンクを「Twitter」で送りつけてくるのですが、筆者やリサーチのプロにそういったことをするのは嫌がらせ以外の何ものでもありません。なお略して「Wiki」と呼ぶ人が多いですが、「Wiki」はツールの名前であって「Wikipedia」とは異なります。

●Twitterを活用する

この「Twitter」は先ほど紹介したようにリアルタイムの生情報を検索するのに強烈な検索エンジンにもなりますが、過去に投稿されたコメントやデータ、資料などを検索するのにもたいへん有用です。

ただの検索エンジンと違う部分は、情報を持っているキーパーソンをフォローできる点です。たとえばリサーチャー、研究者、専門知識を有した一般の人、アマチュアの歴史家、現地に住んでいる人などです。

情報を効率的に集めるのには、自分が求める情報を持っている人を検索やさまざまな方向から探しだしフォローすることです。そして、その人が投稿する情報を一週間ほど眺めてみて、投稿したものに信頼性があるかどうか、有用かどうかということを検証し、投稿したものを自分の参考にするかどうかを決めます。

「Twitter」は外国語の投稿を翻訳することもできるので、外国語で投稿している外国人のアカウントをフォローするのも重要です。たとえば現在ですとウクライナ語やロシア語の投稿をフォローしておけば戦争の状況を細かく知ることができます。

さらにフォローする人を探すにはキーワードでアカウントを検索します。たとえば戦争の状況を知りたいならvisual investigator、war strategistなどです。以下はフォローするべきアカウントの例です。

・ジオロケーター　https://twitter.com/obretix
・船舶追跡の専門家　https://twitter.com/YorukIsik
・航空機追跡の専門家　https://twitter.com/steffanwatkins

●Discordを使う

「https://discord.com/」

「Discord」はゲーマーに大人気のSNSですが、「Twitter」と並行してリサーチに使うべきツールです。他のユーザーとの交流も容易です。

●ミーム（meme）に注力する

ここ最近の流行の多くはミームから生み出されます。ミームというのはインターネット上でまねられたり拡散されたりすることによって大人気になる動画や画像、話の題材のことですが、意外と重要な情報に添付され、世の中の動きを知ることが可能になります。また政治的なプロパガンダの少なからずはミームとして配布されています。だから政治的な動向を追跡するにはミームを追っておくのが重要なのです。

たとえばロシアのウクライナ侵攻は「ミーム」の戦いだともいわれています。ロシアがウクライナに戦争を仕掛けている理由は領土拡大や政治的な理由ではなく、「ロシアより劣る文化に歴史を持つウクライナを解放してまっとうな国にするべきだ」というナラティブ（話の筋）をロシアの宗教者やインテリがネット上の「ミーム」として広めてきたためだという指摘があります。経済や政治が理由ではないために一般大衆の支援を得やすく、失うものが多いのにもかかわらず戦いをやめないという見解です。

これはどういうことを示すかというと、インターネットは強烈な洗脳ツールであり、一般大衆だけではなく軍人や政治家もインターネットに流れるナラティブ（物語）に考え方が左右されてしまい、重大な決定を下してしまう可能性があるということです。つまりミームを観察しておけば何が起きるかが予測できるようになるわけです。

●リアルな空間を観察せよ

オンラインでのリサーチのほかに重要なのが、実際に現場へ出かけて実物を見ることです。これは街中に入ってお店や建物を見たり、実際に人に会ったり、話を聞くということです。文書化されているとか、どこかに転がっている情報よりも数百倍の情報価値のものが手に入るので、やはり自分で足を動かして現場に出向いて情報を探してみるのはたいへん重要なのです。

これはプロの経営コンサルタントや銀行の融資担当者がやっていることです。実際に調査対象の企業や人物のところに足を運んで、公式に面会をして話を聞いて顔色や動作、持ち物などからその人の実態を知り、企業が入っている建物や受付の様子、トイレの清潔度などを細かく観察して経営状態を推測します。

昼休みや夜にその会社の周りにある店舗に入って人々が話している内容に聞き耳を立てるのも重要です。とにかく現場に足を運ぶことは経済や投資の先行きを予測するのに役立ちます。

●自信を持って英語を使う

さまざまな情報を得るのには英語ができることが有利です。そこで日本の方が注意するべきなのは、多くの人はご自分が考えている以上の英語力があるので自信をもって英語でコミュニケーションを取るべきだということです。調査に必要なのは文書や動画が理解できることや相手となんとかコミュニケーションをとることであり、英語の試験の点数が低いか高いかということではありません。

英語は今や非ネイティブユーザーのほうがネイティブよりも多いですが、コミュニケーションを取ることが使用目的なので、コミュニケーションが取れれば正しい文法力や言い回しが必ずしも必要なわけではないのです。

しかも英語の試験は語学力の一面しか示していません。その人の運用力を計測できるものではないのです。

例を挙げると、英語が流暢《りゅうちょう》なイスラエルの女性が、旧イギリス・エジプト領で英語が公用語であるスーダンからの学生たちを指導しました。彼らはイスラエルの大学へ入学するためにＴＯＥＦＬ受験の指導を受けたのです。彼らはなかなか高い点数が取れませんでした。生物学などＴＯＥＦＬに登場するアカデミックな英単語や、英語で理論的な文章を書くのに慣れていなかったのです。

ところが日常や実務ではスーダンの学生たちの英語力はたいへん高く、コミュニケーションは巧みで、ＴＯＥＦＬではるかに高得点を叩き出す非ネイティブよりも明らかに英語力があったのです。

近年の英語試験はアカデミックな能力に片寄りすぎて、真のコミュニケーション能力を反映しないと批判されている理由です。

●視野を広く持ち柔軟性を保つ

さまざまな情報を集めて質の高い調査をするには常に視野を広く持ち、自分の常識を疑い、柔軟性を保つことです。既存の概念を信じ込むのも危険であり、実は違っていたということがよくあるからです。

私はこの〝世界のニュース〟シリーズでは今回が四回目であり、外国の意外な側面を紹介してきましたが、それは読者の方に自分の思い込みや常識と思っていることにとらわれて欲しくないという思いがあるからです。

実際に調べ現場に出かけてみると、聞いていたことや思っていたこととは異なる場合が多いのです。真実を知らずに生きることは人生を損しているようなものです。また、このような体験は自分を陰謀論から遠ざけるためにもたいへん重要なのです。

イギリスにおける陰謀論を信じる被験者九九〇人を調査した研究では、陰謀論を信じる人は分析力不足で視野が狭く、直感力もなく、柔軟な思考力がないという結論が出ています。さらにイギリスとオーストリアにおける研究では、陰謀論を信じる人は政治的にシニカルで、権威を信じず自尊心が低く、非協力的傾向と分析されています。

つまり陰謀論のようなものに騙されないためには、常に好奇心をもって柔軟性のある心で、さまざまな人と協力関係を築き、常にオープンマインドを持っておくことが大事だということです。

おわりに

今回はシリーズ四作目になりますが、これまで紹介してきた海外の意外な側面に加え、二〇二二年二月に発生したロシアのウクライナ侵攻に関しても取り上げました。

これまでこのシリーズでは海外のさまざまなトピックをご紹介してきましたが、一作目から今回の四作目まで一貫して伝えてきたことは、自分の思い込みにとらわれず広い視野を持つべきだということです。

そして自分で調べ、自分でさまざまなことに興味を抱き、受け身にならずに自らなんでもやってみようということです。これは今回の戦争のように予期しないことが起きてしまう世の中ではたいへん重要なことだと考えています。

ロシアが戦争を始めたことで、ロシアだけでなく世界の超富裕層の力は予想以上に脆弱であり、国家による制裁や規制により資産を一夜にして失い、政治的な影響力もなくなってしまう、ということがよくわかりました。

あれだけお金を持っている人でも、その資産価値はあっけなく崩れてしまうのです。一般人である私たちの生活基盤は思っている以上に脆《もろ》いものです。そういった状況下で頼りになるのは自分の頭の中だけ。つまり自分で考えたことや学んだことです。

頭の中にあるものとか自分の考える力は誰にも盗むことができません。金の延べ棒もロレックスの時計も申告しないと国境を越えるときに没収されてしまいます。しかし物やお金はなくなっても自分で頭を使ってまた稼げば良いのです。

ソ連崩壊により目にした「歴史の終わり」＝資本主義の勝利、は今「新たな歴史の終わり」を迎えています。この世界の大変革により日本人はさまざまな人々と接触することになるでしょう。世界の国々や地域の違いは予想以上に大きく、考え方も異なります。

この『世界のニュースを日本人は何も知らない』シリーズが、みなさんがいろいろな視点を持ち、自分の頭で考え、世界の人々と仲よく暮らしていくための契機となれば幸いです。

谷本 真由美

世界のニュースを日本人は何も知らない4

2022年12月25日　初版発行

著者　谷本真由美

谷本真由美（たにもと まゆみ）
著述家。元国連職員。1975年、神奈川県生まれ。シラキュース大学大学院にて国際関係論および情報管理学修士を取得。ITベンチャー、コンサルティングファーム、国連専門機関、外資系金融会社を経て、現在はロンドン在住。日本、イギリス、アメリカ、イタリアなど世界各国での就労経験がある。ツイッター上では、「May_Roma」（めいろま）として舌鋒鋭いツイートで好評を博する。趣味はハードロック／ヘビーメタル鑑賞、漫画、料理。著書に『キャリアポルノは人生の無駄だ』（朝日新聞出版）、『日本人の働き方の9割がヤバい件について』（PHP研究所）、『日本が世界一「貧しい」国である件について』（祥伝社）、『不寛容社会』（ワニブックスPLUS新書）など多数。

発行者　横内正昭
発行所　株式会社ワニブックス
〒150-8482
東京都渋谷区恵比寿4-4-9えびす大黒ビル
電話　03-5449-2711（代表）
　　　03-5449-2734（編集部）

装丁　小口翔平＋後藤司（tobufune）
フォーマット　橘田浩志（アティック）
編集協力　山田泰造（コンセプト21）
校正　玄冬書林
編集　内田克弥（ワニブックス）

印刷所　凸版印刷株式会社
DTP　株式会社 三協美術
製本所　ナショナル製本

ISBN 978-4-8470-6683-2
ワニブックスHP　http://www.wani.co.jp/
WANI BOOKOUT　http://www.wanibookout.com/
WANI BOOKS NewsCrunch　https://wanibooks-newscrunch.com/